comment

ACHETER ou REVENDRE

votre immeuble résidentiel
à revenus

OUVRAGES PUBLIÉS PAR L'AUTEUR :

La réforme du droit des corporations commerciales canadiennes, Les Éditions CF, Sherbrooke, 1977, 139 p.

Comment réussir dans l'immobilier ou Faire de l'argent dans l'immobilier... c'est toujours possible! Les Éditions Yvon Blais Inc., Cowansville, 1989, 208 p.

comment

ACHETER ou REVENDRE

votre immeuble résidentiel
à revenus

UNE TRANSACTION IMMOBILIÈRE DÉMYSTIFIÉE

Me CLÉMENT FORTIN

Wilson & Lafleur ltée / Les Éditions Québecor

LES ÉDITIONS QUEBECOR
Une division de Groupe Quebecor inc.
4435, bd des Grandes Prairies
Montréal (Québec)
H1R 3N4

WILSON & LAFLEUR LTÉE
une division du Groupe Quebecor inc.
40, Notre-Dame Est
Montréal (Québec)
H2Y 1B9

Distribution : Québec Livres

©1991, Clément Fortin

Dépôt légal, 1er trimestre 1991
Bibliothèque nationale du Québec
Bibliothèque nationale du Canada

ISBN: 2-89089-800-8

Conception de la page couverture : Bernard Lamy
Photo de la page couverture : Michel Maisonneuve
Réalisation graphique : Manon Boulais
Révision : Catherine Saint-Denis
Correction : Claude Poulin
Composition et montage : Les Ateliers C.M. Inc.
Impression : Imprimerie Imprico

À ma mère

REMERCIEMENTS

La Chambre immobilière de Montréal m'a donné l'autorisation d'utiliser ses programmes informatiques.

L'Association de l'immeuble du Québec m'a permis de me servir des formules qu'elle met à la disposition de ses membres.

HOPEM m'a permis d'utiliser son logiciel d'analyse de rentabilité d'immeubles à revenus HOP/SIM et de reproduire à l'appendice 8 de mon ouvrage un exemple de calcul de rendement, de projection de rendement et de rendement à la revente d'un immeuble locatif.

Je remercie tous ces organismes de leur collaboration empressée.

Ma collègue Me Micheline Audette, vice-présidente d'Audette & Audette Inc., courtiers en immeubles, m'a fait des suggestions fort à propos. Je l'en remercie. Je remercie également Me Micheline del Vecchio, notaire, pour ses judicieuses remarques en ce qui a trait à la pratique notariale. Je suis reconnaissant envers Me Jean-François Gilbert, avocat, de ses précieux conseils, notamment en ce qui concerne la Loi sur les accidents du travail et maladies professionnelles. Mme Danielle Coupal, c.a. et fiscaliste, m'a obligé en lisant la partie fiscale de mon ouvrage. Je la remercie de ses suggestions.

Je suis redevable envers Mme Rita Gareau pour la patience qu'elle a manifestée dans la préparation des appendices. Enfin, pour m'avoir encore écouté lui parler d'immobilier, merci Andrée pour tant de patience.

Est-il besoin d'ajouter que toutes les erreurs qui se seraient glissées dans cet ouvrage sont ma seule responsabilité?

Clément Fortin

AVANT-PROPOS

Plusieurs lecteurs m'ont suggéré de présenter un séminaire sur l'immobilier. De prime abord, cette idée m'a paru intéressante. Cependant, j'espérais rééditer mon ouvrage *Comment réussir dans l'immobilier ou Faire de l'argent dans l'immobilier... c'est toujours possible!** à l'occasion de l'entrée en vigueur du nouveau code civil. Je m'apprêtais à revoir tout l'aspect juridique de mon ouvrage à la lumière de la nouvelle législation. Mais j'ai appris dernièrement que l'entrée en vigueur du nouveau code civil était reportée à 1993. C'est alors que je me suis dit : «Pourquoi pas 1995?» Après tout, j'attends ce nouveau code civil depuis une vingtaine d'années.

Par la même occasion, j'avais l'intention d'ajouter à mon ouvrage quelques chapitres portant sur la recherche d'un immeuble à revenus avec l'aide d'un courtier, d'un agent immobilier ou d'un conseiller en investissement immobilier. Ils porteraient aussi sur les critères applicables dans le choix d'un immeuble à revenus, sur les diverses méthodes d'évaluation utilisées par les investisseurs et sur les méthodes d'analyse de rentabilité de ce type d'immeuble.

Puisque ce n'était pas le moment opportun pour rééditer mon ouvrage, j'ai entrepris de mettre sur pied un séminaire et j'en ai tout d'abord défini les objectifs. Le séminaire avait pour but de rendre les participants capables d'acheter ou de revendre un immeuble résidentiel à revenus. Un cas réel facile à comprendre servirait à illustrer les diverses étapes de l'achat ou de la revente d'un immeuble résidentiel à revenus.

Je me suis alors astreint à définir chacune des tâches que doit accomplir seul ou avec l'aide d'un courtier, un agent immobilier, ou un conseiller en investissement immo-

---

* Disponible chez Wilson & Lafleur Ltée. 40 Notre-Dame Est H2Y 1B9

bilier, un investisseur désireux d'acheter ou de revendre un immeuble résidentiel à revenus. Pour expliquer ces tâches au fur et à mesure que l'investisseur les accomplit, j'ai choisi un cas que j'ai vécu dernièrement. Je crois que ce cas facile à comprendre se prête bien à la réalisation des objectifs de ce séminaire.

Alors que je concevais ce séminaire, j'ai senti le besoin de rédiger des notes de cours qui compléteraient l'ouvrage que j'ai déjà publié sur l'immobilier.

Ce sont ces notes et l'étude de cas qu'il me fait plaisir de vous présenter dans ce nouvel ouvrage intitulé *Comment acheter ou revendre votre immeuble résidentiel à revenus : une transaction immobilière démystifiée.* Ceux et celles qui s'inscriront à mon séminaire auront à leur disposition deux ouvrages qui contiennent à la fois des exposés théoriques et des exercices pratiques.

Cet ouvrage s'adresse en premier lieu à ceux et à celles qui désirent investir dans l'immobilier. Cependant, tous les professionnels de l'immobilier pourront tirer profit de cette étude de cas.

Clément Fortin
janvier 1991

TABLE DES MATIÈRES

15

INTRODUCTION

Les documents utilisés dans cette étude de cas illustrent une transaction immobilière qui s'est réellement produite. Vous comprendrez cependant que les données qui auraient pu permettre d'identifier les personnes en cause ont été modifiées afin de préserver leur anonymat.

Il ne faut pas rechercher dans ce cas un modèle qu'on doit suivre à la lettre. Est-il besoin de rappeler que dans l'immobilier, comme dans bien d'autres domaines, chaque cas est un cas particulier.

On comprendra, par ailleurs, qu'il n'était pas possible d'analyser, à partir d'un seul cas, toutes les hypothèses qu'on peut soulever à l'occasion d'une transaction immobilière. Néanmoins, l'étude d'un cas est fort utile sur le plan pédagogique, car elle permet aux participants de simuler et d'analyser à fond une opération immobilière concrète.

Ne vous attardez pas plus qu'il ne faut aux données utilisées dans cette étude de cas. Elles n'ont pour but que d'illustrer un cas concret. Attachez-vous plutôt à l'objectif poursuivi par cette étude : *Comment acheter ou revendre un immeuble résidentiel à revenus.* C'est surtout une méthode de travail que cette étude vise à faire acquérir à ceux qui l'aborderont. Même si le cas choisi porte sur l'achat d'un immeuble résidentiel à revenus, il n'en demeure pas moins que Monsieur Normand devra, à la revente de son immeuble, se livrer à plusieurs des exercices qu'il a faits pour l'acquérir. Ainsi, il devra en établir le prix, faire au besoin des contre-propositions et voir aux formalités de transfert de son immeuble en tenant compte des incidences fiscales de sa transaction. Je vous renvoie à l'appendice 1 pour les objectifs de cette étude de cas.

Pour tirer le plus grand profit de cet ouvrage, je vous suggère d'étudier à fond les appendices auxquels je fais référence, car ils en font partie intégrante.

Tout au long de cet ouvrage, je soulève plusieurs questions qui relèvent de l'expertise de spécialistes comme, par exemple, les fiscalistes, les évaluateurs agréés, les avocats, les notaires, les comptables et autres. Je vous conseille fortement de les consulter avant de conclure vos transactions immobilières.

CHAPITRE I

L'INVESTISSEUR DOIT DÉFINIR SES OBJECTIFS

A) Les objectifs

L'investisseur doit d'abord définir ses objectifs. Il doit savoir pourquoi il choisit d'investir dans l'immobilier. Comme l'investissement immobilier requiert beaucoup de temps, il doit s'interroger sur le temps qu'il peut lui consacrer. Il doit aussi se poser les questions suivantes. Dans quel secteur de l'immobilier désire-t-il investir? Résidentiel, commercial ou industriel? Supposons qu'il opte pour le secteur résidentiel. Combien d'immeubles désire-t-il posséder dans 1 an, 2 ans, 5 ans?

Il doit aussi se demander quel genre d'investisseur il compte devenir. Peut-être voudrait-il investir dans la rénovation d'immeubles résidentiels à revenus? Un investisseur peut décider de concentrer ses efforts à chercher des propriétés qui font problème. Elles peuvent s'avérer de bons investissements si l'investisseur qui en fait l'acquisition les administre et les entretient mieux que le propriétaire précédent. Par contre, un investisseur peut décider de n'acquérir que des propriétés situées dans des secteurs de choix dont la rentabilité est assurée.

Dès le départ, il est opportun de se poser ces questions, car il peut être coûteux de s'improviser investisseur immobilier. Ceux et celles qui ont profité de l'euphorie de 1987

19

pour se lancer dans l'immobilier en savent quelque chose aujourd'hui!

B) Les motifs qui poussent un propriétaire à vendre son immeuble

Quel que soit l'objectif qu'un investisseur immobilier se fixe, il doit chercher à connaître les motifs qui poussent un propriétaire à vendre son immeuble. Afin de négocier un «bon prix», l'acheteur éventuel devrait connaître l'état d'âme du vendeur.

Voici, par exemple, certains de ces motifs.

1) L'exécuteur testamentaire ou les héritiers qui désirent liquider un immeuble à revenus à la suite du décès du propriétaire. Comme ils n'ont généralement aucun attachement à la propriété du défunt, ils sont désireux de vendre le plus rapidement possible. C'est peut-être une affaire à regarder de près.

2) La mésentente entre copropriétaires. Malheureusement, c'est un motif souvent invoqué pour se départir d'un investissement immobilier. Dans ces cas, les copropriétaires n'ont pas jugé nécessaire de signer un contrat d'indivision qui établirait clairement les obligations des parties et les relations qu'elles doivent entretenir. Par conséquent, ils sont prêts à revendre l'immeuble tout simplement pour mettre un terme à la mésentente. Regardez de près une telle situation, vous pourriez faire une bonne affaire.

3) Les problèmes de financement de la propriété causés par une augmentation des taux d'intérêt.

4) Dans le cas d'une propriété négligée, il se peut que le propriétaire ait un problème financier ou de gestion.

5) Les problèmes d'un immeuble peuvent résulter de la négligence ou de l'incompétence de la société de gestion immobilière à qui le propriétaire a confié la

gestion et l'entretien. Vous pouvez observer dans certains quartiers que, peu de temps avant la période de location, une équipe de travailleurs s'affaire à nettoyer l'immeuble et à tondre le gazon. On revoit une autre équipe à l'automne et c'est tout. Pourtant, un immeuble exige des soins, sinon quotidiens, du moins hebdomadaires.

6) Un taux élevé d'inoccupation se traduit inévitablement par une charge financière difficile à supporter. Souvent, les propriétaires négligent d'entretenir leurs propriétés sous prétexte qu'ils touchent moins de revenu de location. Un immeuble négligé est moins attrayant pour les locataires et ils ne mettent pas beaucoup de temps à le quitter ou à le bouder. Ce n'est pas de cette façon qu'on louera les appartements vacants dans l'immeuble.

7) Il peut être intéressant de savoir depuis combien de temps l'immeuble qui retient votre attention appartient au propriétaire actuel. Vous pourrez ainsi constater si vous êtes en présence d'un spéculateur, d'un propriétaire qui en a ras le bol après trois ans ou tout simplement qui désire acheter un plus gros immeuble. Il y a bien d'autres motifs qui incitent un propriétaire à se départir de son immeuble à revenus. Au chapitre IV, je vous en indiquerai quelques-uns de plus.

Il peut être intéressant de surveiller les ventes en justice. Mais il faut être expérimenté pour se lancer dans ce genre d'investissement.

Vous pouvez aussi vous adresser directement au propriétaire d'un immeuble que vous aimeriez acquérir. En règle générale, on peut tenir pour acquis qu'un propriétaire d'immeubles à revenus est un homme d'affaires. Si vous lui offrez «son prix», il est possible qu'il vous le vendra. Trouvez le nom et les coordonnées du propriétaire et présentez-lui une promesse d'achat. Pour les immeubles situés dans l'île de Montréal, il vous suffit de relever le numéro civique de l'immeuble que vous convoitez et de demander à votre courtier ou agent immobilier d'obtenir le nom et les coordonnées du propriétaire en accédant directement au rôle d'évaluation au moyen de l'ordinateur de la Chambre immobilière de Montréal. Un bon nombre de transactions se font de cette manière.

CHAPITRE II

LA RECHERCHE D'UN IMMEUBLE À REVENUS

Soulignons au départ que vous devez essayer d'acheter le plus grand nombre d'appartements avec l'argent comptant dont vous disposez. Je vous renvoie aux commentaires que je fais sur cette question au chapitre VI de cet ouvrage et au chapitre II de mon ouvrage intitulé *Comment réussir dans l'immobilier ou Faire de l'argent dans l'immobilier... c'est toujours possible!*

Au moment où j'ai rédigé ce livre, je n'avais pas envisagé l'immobilier en tant que conseiller, mais en tant qu'investisseur, gestionnaire et avocat. Depuis, je suis devenu membre de la Chambre immobilière de Montréal. J'apprécie tout particulièrement les programmes informatiques qu'elle met à la disposition de ses membres sur son ordinateur familièrement appelé EDGAR. Je vois donc l'immobilier sous un autre angle, c'est-à-dire comme intermédiaire et conseiller.

A) L'ordinateur de la Chambre immobilière de Montréal

L'ordinateur de la Chambre immobilière de Montréal m'a permis de sélectionner tous les immeubles à revenus qui étaient à vendre, de 13 logements et plus, dans les villes de Longueuil et Saint-Lambert, secteurs choisis par Monsieur Normand. En quelques minutes, j'ai pu remettre à

Monsieur Normand la liste de tous les immeubles de 13 logements et plus, inscrits au SIM/MLS (Service d'inscriptions multiples/Multiple Listing Service).

Il est à noter que chaque membre de la Chambre immobilière, en sa qualité de courtier inscripteur, peut inscrire au SIM/MLS tout immeuble dont on lui a confié la vente. De cette manière, il fait connaître aux autres membres tous les renseignements pertinents à l'immeuble que son client lui a demandé de vendre.

La fiche technique qu'il a préparée à cette fin fournit à tous ceux qui y sont intéressés soit par l'entremise d'EDGAR, soit au moyen des cahiers SIM/MLS, une description de l'immeuble susceptible d'en faciliter la vente. Référez-vous au chapitre V pour une analyse détaillée de cette fiche. Dans ce cas, tous les membres, qu'il s'agisse des courtiers ou de leurs agents, peuvent vendre l'immeuble et toucher une partie de la commission qui est prévue au contrat de courtage et qui est mentionnée sur la fiche technique. Référez-vous à l'appendice 2, **L'entrevue avec Monsieur Normand,** pour établir les paramètres de l'investissement qu'il désire faire et à l'appendice 3 pour un exemple de l'utilité de ce service. En consultant cet appendice, vous remarquerez que les numéros civiques des propriétés à revenus qui y apparaissent ont été biffés afin de protéger l'anonymat de leurs propriétaires. Pour la même raison, j'ai aussi effacé de la dernière page de cet appendice les coordonnées du courtier.

De plus, j'ai sélectionné et imprimé de la même manière la liste des contrats de courtage expirés. Il s'agit des contrats de courtage qui sont parvenus à échéance sans que la maison de courtage immobilier qui en avait la responsabilité réussisse à vendre l'immeuble qui en faisait l'objet. Enfin, l'ordinateur m'a aussi permis de faire la liste de tous les immeubles vendus, c'est-à-dire de tous les contrats de courtage qui ont abouti à une vente. J'ai suggéré à Monsieur Normand d'éliminer tous les immeubles qui n'étaient d'aucun intérêt pour lui.

La base de données de la Chambre immobilière de Montréal est une source précieuse de renseignements pour des fins de comparaison. On peut ainsi comparer plusieurs éléments dont le prix, la structure du bâtiment, le nombre d'appartements. Par exemple, si l'ordinateur vous donne des renseignements sur un immeuble voisin de celui que vous désirez acheter, ces renseignements sont, pour vous, une véritable petite mine d'or. S'il s'agit d'un «expiré», vous savez quel prix on demandait. Peut-être constaterez-vous que cet immeuble n'a pas été vendu parce que son propriétaire demandait trop cher ou qu'il n'y avait pas d'hypothèques avantageusement transférables ou que le propriétaire n'était pas disposé à consentir un solde de prix de vente.

Par ailleurs, l'immeuble situé dans le voisinage de celui que vous désirez acheter et qui vient d'être vendu constitue une source de renseignements importants. Grâce à ces données permettant des comparaisons, vous serez mieux préparé à aborder la négociation. Les immeubles à vendre, les «vendus» et les «expirés» permettent de se faire une idée claire de ce qu'est le marché immobilier dans un secteur donné.

De plus, depuis le 6 août dernier, la Chambre immobilière a ajouté à son ordinateur un autre service qu'elle appelle le système des mutations. C'est un outil de plus qui nous permet d'obtenir les différentes données relatives aux ventes des propriétés qui ont été effectuées dans les treize divisions d'enregistrement de la région de Montréal. En utilisant judicieusement tous ces instruments, il nous est possible de déterminer quels sont les secteurs propices à des investissements immobiliers de qualité.

B) Les contrats de courtage «ouverts» et «fermés» et le «Net Listing»

Avec l'aide des courtiers spécialisés dans les immeubles à revenus des secteurs où Monsieur Normand désire investir, j'ai dressé aussi la liste des propriétés de 12 logements et plus qui ne sont pas inscrites au SIM/MLS et qui sont susceptibles de répondre aux paramètres que j'ai établis avec Monsieur Normand.

Souvent les immeubles à revenus font l'objet de contrats de courtage «ouverts» avec les courtiers spécialisés dans ce genre d'immeubles. Plus rarement, ils font l'objet de contrats «fermés». Quelle différence y a-t-il entre ces deux types de contrat de courtage immobilier? On dit qu'un contrat de courtage est «ouvert» lorsque le vendeur n'a pas donné son immeuble à vendre en exclusivité à un seul courtier, se réservant le droit de le vendre lui-même ou de le faire vendre par d'autres courtiers. Le contrat de courtage est «fermé» si le propriétaire d'un immeuble en confie la vente en exclusivité à un courtier.

Il intervient assez fréquemment un autre type de contrat de courtage immobilier entre un vendeur et son courtier. C'est ce qu'on appelle en anglais «Net Listing». Le vendeur fixe le prix minimum qu'il est prêt à accepter pour son immeuble, laissant au courtier le soin de percevoir sa commission en sus. Par exemple, le vendeur établit son «plancher», comme on dit dans le milieu, disons à 500 000 $. Si le courtier veut 5 % de commission, il devra vendre l'immeuble 525 000 $.

C) Les journaux

Pour compléter la recherche, il nous reste à dépouiller les journaux. Monsieur Normand et moi avons lu les annonces d'immeubles à vendre dans les quotidiens, les hebdomadaires du quartier et les journaux spécialisés comme Habitabec et l'Investissement Immobilier Hebdo. À la suite d'une première sélection des immeubles qui semblaient répondre à nos paramètres, j'ai téléphoné pour connaître les conditions de vente de chacune des offres. De cette manière, nous avons pu nous faire, en peu de temps, une très bonne idée du marché des immeubles à revenus dans les secteurs où nous désirions investir.

D) La visite des immeubles et la cueillette de renseignements

Monsieur Normand a visité un grand nombre d'immeubles. J'en ai visité près d'une douzaine avec lui. Il est préférable de retenir quelques immeubles, au moins deux, pour pouvoir les comparer avant de prendre la décision de formuler une promesse d'achat.

Monsieur Normand avait retenu un immeuble de 16 logements en béton. Cet immeuble lui plaisait beaucoup. Nous avons, à deux reprises, présenté sans succès une promesse d'achat. A la fin, nous avons éprouvé un sentiment de frustration, ce qui n'est pas rare dans ce métier, quand nous avons constaté que nos promesses d'achat avaient servi à régler une mésentente entre copropriétaires.

J'ai conseillé à Monsieur Normand d'inspecter minutieusement la structure de chaque immeuble qu'il visitait. Je lui ai suggéré aussi de jouer le rôle de futur locataire et d'aller visiter les appartements à louer dans les immeubles qu'il aimerait acquérir. Comme il y a souvent des appartements vacants, il est facile de frapper à la porte du concierge et de demander à les visiter. Même s'il n'y en a pas de vacants, il est toujours possible de demander à visiter celui du concierge sous prétexte que vous aimeriez emménager dans cet immeuble éventuellement.

Si votre recherche d'immeubles se situe au moment du renouvellement des baux, vous aurez souvent le choix de visiter, dans le même immeuble, plusieurs appartements. Pour des fins de comparaison, j'ai demandé à Monsieur Normand d'aller visiter des appartements dans les immeubles voisins. Il est important que vous sachiez à quelle concurrence vous aurez à faire face si vous devenez propriétaire d'un immeuble dans ce secteur.

Établissez bien vos points de comparaison: le nombre de pièces, les appareils électroménagers fournis ou non, le chauffage et l'eau chaude fournis ou non par le propriétaire et les services tels que les ascenseurs, le lavoir, le stationnement intérieur ou extérieur, etc. Profitez de ces visites pour interroger le concierge sur l'immeuble et ses locataires. Y a-t-il des problèmes? Quels sont-ils? Les concierges sont souvent très bavards...

Vous aurez aussi l'occasion de causer avec des locataires. Demandez-leur s'ils sont satisfaits de l'immeuble qu'ils habitent. Ils se prêteront volontiers à ce genre de questions. La négligence du propriétaire à remplir ses obligations contractuelles ou tout simplement le «manque de service» comme l'ont qualifié ceux que j'ai interrogés; voilà la plainte que j'ai le plus fréquemment entendue. Par exemple, on est mécontent parce que le propriétaire met trop de temps à remplacer une ampoule électrique, à réparer un appareil électroménager, etc. En quelques minutes, ces locataires vous initieront aux petits secrets de cet immeuble et même du quartier.

À différentes heures de la journée, surveillez le va-et-vient de l'immeuble et du stationnement. Plusieurs des personnes que vous voyez aller et venir deviendront vos locataires, si vous achetez cet immeuble. Vous n'aurez donc pas de surprise sur la qualité de la clientèle.

Allez manger au restaurant le plus près de l'immeuble que vous désirez acheter. Causez avec les serveuses ou les serveurs et, si possible, avec la ou le propriétaire. Les renseignements que vous pouvez recueillir sur le quartier vous seront très utiles dans votre décision d'acheter ou non l'immeuble qui a retenu votre attention.

En procédant de cette manière, vous aurez, en peu de temps, une bonne idée de la qualité du quartier et de ses habitants.

Rendez-vous à l'Hôtel de ville et prenez connaissance du plan de développement de la municipalité pour ce secteur donné.

Monsieur Normand a suivi judicieusement tous mes conseils. Je peux dire qu'il a été un client modèle. Il a vite compris qu'il fallait consacrer beaucoup de temps à la recherche d'un immeuble. Grâce au travail soutenu qu'il a fait au cours des quelques mois que cette recherche a duré, il a accumulé des points de référence qui lui ont permis de prendre une décision éclairée quant au choix d'un immeuble à revenus. De plus, ces renseignements sont précieux, car ils permettent de préparer la négociation.

CHAPITRE III

L'ACHAT DE VOTRE IMMEUBLE À REVENUS: SELON QUELS CRITÈRES?

A) L'emplacement

L'achat d'un immeuble à revenus n'est pas de tout repos. Notamment, il y a certains critères dont il faut tenir compte dans le choix d'un immeuble à revenus. Quelqu'un demandait au regretté Jean Gabin quels critères il fallait observer pour faire un bon film. Sa réponse fut laconique. «Il en faut, expliqua-t-il, trois : 1) une bonne histoire 2) une bonne histoire 3) une bonne histoire». Si vous demandez à des professionnels de l'immobilier quels sont les critères qu'il faut appliquer dans le choix d'un immeuble à revenus, ils vous diront à la manière de Jean Gabin qu'il en faut trois : 1) l'emplacement 2) l'emplacement 3) l'emplacement. Certains vont en ajouter deux autres : 4) l'apparence de l'immeuble et du secteur 5) la qualité des locataires.

Spontanément, tous ceux qui sont engagés dans l'immobilier vous diront que le premier critère à observer dans le choix d'un immeuble à revenus, c'est l'emplacement. Ce critère, quoique important, est tout de même relatif. En effet, on peut dire, à titre d'exemple, qu'un immeuble situé dans le quartier Côte-des-Neiges jouit d'un emplacement de choix, car le métro y passe, l'Université de Montréal constitue une véritable industrie, sans compter les nombreux hôpitaux qui se trouvent dans ce secteur. Le choix de l'emplacement est donc beaucoup plus complexe qu'on serait porté à le croire de prime abord. Dans la même rue, le tissu socio-économique de la clientèle, c'est-à-dire les locataires peut varier sensiblement. Le fait, par exemple, qu'un immeuble se trouve au sud ou au nord d'une rue donnée peut représenter une différence appréciable dans la qualité de l'emplacement. Si vous observez attentivement le secteur que vous avez choisi pour faire un investissement immobilier, vous constaterez que certains sous-secteurs, si on peut ainsi les qualifier, se détériorent : les immeubles qui s'y trouvent étant moins bien entretenus, ils attirent par conséquent une clientèle de moins bonne qualité.

Aussi, avant d'investir dans un immeuble à revenus, vous voudrez savoir si le secteur, dans lequel se trouve l'immeuble qu'on vous propose, s'améliore ou se détériore. Je considère que c'est là une question fort importante à laquelle se heurte l'investisseur immobilier dans sa recherche d'un immeuble à revenus. Il ne peut pas se permettre de faire erreur à ce chapitre. Si l'immeuble qu'il acquiert pose des problèmes, il pourra généralement y remédier en apportant les correctifs qui s'imposent. Mais s'il se trompe dans le choix de l'emplacement de l'immeuble à revenus qu'il achète, il aura sur le plan de la qualité de son investissement commis une erreur irrémédiable à moins de pouvoir s'offrir plusieurs immeubles dans ce secteur afin d'en changer l'orientation.

De plus, vous devez tenir compte du nombre de terrains vagues disponibles dans le secteur de l'immeuble qui fait l'objet de votre étude. Par exemple, un constructeur vous offre un 12 logements situé aux confins d'une municipalité de banlieue. Il s'agit d'un immeuble qui vient d'être construit. Le constructeur vendeur se déclare prêt à vous en garantir les revenus pendant une année. Au moment de la visite, vous remarquez qu'il y a de l'autre côté de la rue, juste en face, plusieurs terrains vagues. La prudence s'impose. Il est fort probable que dès l'année prochaine votre constructeur vendeur ou un autre y construira des immeubles locatifs. On y attirera vos locataires en leur offrant des mois de loyer gratuit, des téléviseurs, des fours à micro- ondes, des lave-vaisselle, etc.

On comprendra que les immeubles qui répondent à ces critères de qualité se font rares sur le marché. Il faut donc consacrer beaucoup de temps à la recherche d'un immeuble à revenus pour s'assurer d'un investissement de qualité.

Outre l'emplacement, il y a deux autres critères dont vous devez tenir compte dans votre recherche d'un immeuble à revenus : l'apparence de l'immeuble et du secteur et la qualité des locataires.

L'emplacement de votre immeuble à revenus de même que le quartier où il se trouve et son apparence influeront grandement sur la qualité des locataires qu'il attirera.

B) L'apparence de l'immeuble et du quartier

À maintes reprises, j'ai pu constater à quel point l'apparence d'un immeuble et la qualité du quartier où il se trouve, voire la rue dans laquelle il est situé font toute la différence au moment de la location. C'est encore plus facilement vérifiable ces dernières années : les locataires ont le choix de l'appartement qu'ils désirent étant donné le taux d'inoccupation élevé dans les immeubles locatifs. Évidemment, vous devez comparer les logements que vous offrez à ceux de vos concurrents dans le quartier. Comme me faisait remarquer une locataire dernièrement : «Dans le quartier Côte-des-Neiges, il faut s'attendre à vivre dans une vieille maison.»

Notamment, l'apparence de l'entrée de l'immeuble peut décider celui ou celle qui cherche un logement à franchir ou non le seuil de la porte. C'est pourquoi il est intéressant de noter lors de vos négociations, si vous pouvez à peu de frais améliorer l'entrée de l'immeuble que vous désirez acquérir; il s'agit là d'un potentiel dont vous devez tenir compte. Vos locataires accepteront volontiers les petits défauts de votre immeuble, mais ils voudront une entrée accueillante et propre. Si vous désirez attirer des locataires de qualité, vous devez leur offrir un immeuble qui a belle apparence et qui est bien entretenu. Vous pourrez constater qu'un immeuble que son propriétaire entretient avec soin affiche rarement À LOUER.

C) **La qualité des locataires**

Les loyers que vous demandez pour vos appartements vont influer directement sur la qualité des locataires et partant sur la qualité des services que vous offrirez.

Par contre, si l'immeuble qu'on vous offre comprend des garages et des espaces pour garer des voitures, il importe peu que vous soyez ou non près d'une station de métro. La proximité d'une station de métro est susceptible d'attirer ceux qui n'ont pas de voiture.

On qualifie de bon ou de bonne locataire celui ou celle qui paie fidèlement son loyer le premier du mois, ne fait pas de bruit et prend soin des biens loués.

Si votre immeuble se trouve dans un cul-de-sac ou est éloigné des grandes artères bruyantes, vous pourrez louer plus cher vos logements. De même, si les appartements que vous offrez sont munis d'une entrée électrique et d'une entrée d'eau permettant l'installation d'une machine à laver, d'une sécheuse et d'un lave-vaisselle, vous attirerez des locataires mieux nantis et, par conséquent, plus stables.

Certains locataires préfèrent régler eux-mêmes leur chauffage. Si vous offrez le chauffage électrique dans vos appartements, ce sera un atout de plus.

On voit donc que l'investisseur immobilier doit être très attentif à un grand nombre de questions lorsqu'il cherche un investissement de qualité. Je n'ai indiqué que quelques exemples de critères dont l'investisseur immobilier doit tenir compte dans le choix d'un immeuble à revenus. C'est pour cette raison qu'un investissement immobilier de qualité exige qu'on y consacre beaucoup de temps. Monsieur Normand a consacré beaucoup de temps à la recherche d'un immeuble. D'une façon générale, l'immeuble qu'il a acheté répond aux critères que je viens d'exposer.

CHAPITRE IV

LA REVENTE DE VOTRE IMMEUBLE À REVENUS: QUAND? COMMENT? POURQUOI?

Si l'achat d'un immeuble à revenus n'est pas de tout repos, la revente ne l'est pas non plus. Dans cet ouvrage, il est surtout question d'acheter un immeuble à revenus. Cependant, pour revendre votre immeuble locatif, vous devrez faire la plupart des démarches que nous avons faites pour acheter l'immeuble de Monsieur Normand.

A) Le meilleur moment pour revendre votre immeuble à revenus

Pour revendre votre immeuble à revenus, est-il préférable d'attendre un marché de vendeurs, c'est-à-dire un marché où les acheteurs se font plus nombreux que les vendeurs. En d'autres termes, faut-il attendre une situation économique qui permet à celui qui désire se départir de son investissement immobilier de le faire à des conditions avantageuses? Qu'il s'agisse d'un marché d'acheteurs ou de vendeurs, ce qui importe d'abord et avant tout, c'est de revendre son immeuble à revenus à son juste prix et, de préférence, aux conditions les plus avantageuses. Si vous avez acheté votre immeuble à son juste prix et à des conditions intéressantes, il sera plus facile à revendre.

Généralement, si vous avez acheté un immeuble qui répond aux qualités d'un bon investissement immobilier exposées précédemment, vous ne devriez pas avoir de problèmes à le revendre même dans une conjoncture économique un peu difficile pour les vendeurs. On revend aussi lorsqu'on est convaincu qu'on fait une bonne affaire étant donné le prix qu'on nous offre et les conditions qu'on nous propose. Par exemple, le prix qu'on vous offre pour votre immeuble vous permet de réaliser un profit raisonnable compte tenu de la conjoncture économique du moment. En règle générale, on ne revend que lorsqu'on a de sérieux motifs. J'en indiquerai quelques-uns à la fin de ce chapitre.

B) Demandez un prix réaliste

Trop de propriétaires vendeurs «brûlent» leur immeuble en n'établissant pas d'une façon réaliste le prix qu'ils en demandent. Il suffit de consulter EDGAR pour constater combien d'immeubles ne trouvent pas d'acheteurs parce que le prix qu'on demande n'est pas réaliste. Comment pouvez-vous parler d'un investissement immobilier lorsque les conditions qu'on vous propose projetées sur cinq ans vous font anticiper un «cash flow» négatif substantiel pendant cette période de temps. On peut accepter de «nourrir» son investissement au cours de la première année mais pas pendant cinq ans. Il y a des propriétaires vendeurs qui n'achèteraient jamais d'immeubles aux conditions qu'ils mettent en vente les leurs.

On constate que lorsque les taux d'intérêt sont bas, les prix demandés pour les immeubles à revenus sont plus élevés. L'inverse devrait aussi se produire. Monsieur Normand a acheté son immeuble dans une conjoncture déprimée à des taux d'intérêt d'un marché normal. Le vendeur a été réaliste dans l'établissement de ses conditions de vente compte tenu de la situation économique qui prévalait à ce moment. En acceptant un solde de prix de vente à un taux avantageux pour son acheteur, non seulement il facilitait la vente de son immeuble, mais il incitait son acheteur à lui verser un montant en argent comptant plus élevé, argent dont il avait un besoin pressant.

Au point de vue fiscal, il peut être préférable de vendre à un prix plus élevé en échange d'un solde de prix de vente à un taux d'intérêt avantageux pour l'acheteur. Du prix de vente se dégagera un gain en capital dont 75 % sera imposable entre les mains du vendeur à son taux personnel. Par ailleurs, les intérêts qu'il touchera sur le solde de prix de vente s'ajouteront à son revenu personnel et seront pleinement imposables. Je vous réfère à mon ouvrage *Comment réussir dans l'immobilier ou Faire de l'argent dans l'immobilier... c'est toujours possible!,* chapitre V, Le solde de prix de vente : une source importante de financement et chapitre VI, Le vendeur impayé et le fisc.

C) Jouez les banquiers

Ainsi, le propriétaire pourra faciliter la vente de son immeuble en demandant un montant en argent comptant moins élevé et en accordant un solde de prix de vente. Il est bien connu que les banques ne prêtent qu'aux riches et au tiers-monde. C'est pour cette raison que le vendeur doit jouer le rôle de banquier s'il désire vendre son immeuble au meilleur prix possible. À cet effet, j'ai remarqué, notamment en Floride, que les vendeurs proposent même à leurs acheteurs éventuels de les aider financièrement. Ainsi, dans les annonces d'immeubles à revenus à vendre, il est fréquent de lire que le vendeur se dit prêt à financer la transaction.

D) Planifiez la revente de votre immeuble

Il est important, dès l'achat d'un immeuble à revenus, d'en planifier la revente. Dès que la conjoncture économique le permettra, contractez une hypothèque au meilleur taux possible afin de pouvoir la transférer avantageusement à un acheteur éventuel. Sur le plan de vos finances personnelles, placez-vous dans une situation qui vous permettra au moment de la revente de votre immeuble d'offrir un solde de prix de vente par voie d'hypothèque. Consultez votre fiscaliste afin de connaître votre marge de manoeuvre sur le plan fiscal. En négociant la revente de votre immeuble, vous pouvez trouver avantageux le prix que vous offre votre acheteur si vous consentez à lui accorder un solde de prix de vente. Votre fiscaliste vous dira si, d'une part, votre situation fiscale personnelle vous permet de le faire et, d'autre part, si c'est avantageux pour vous.

E) Ne vous attachez pas à votre immeuble à revenus

Nous savons qu'il faut beaucoup de temps pour trouver un bon immeuble à revenus. Aussi, lorsque vous l'avez trouvé, il est possible que vous vous y attachiez au point de ne plus être capable d'en calculer objectivement la rentabilité. C'est ainsi qu'au moment où Monsieur Normand voudra se départir de son immeuble dans cinq ans, il sera conscient de la valeur de son investissement, car il se souviendra dans quelles conditions il l'a acheté. De plus, il aura apporté plusieurs améliorations à son immeuble, en plus de l'avoir entretenu d'une façon impeccable. Mais ce qui guette Monsieur Normand comme la plupart des propriétaires vendeurs, c'est le manque d'objectivité. Le moment venu de revendre son immeuble, il est fort possible qu'il n'aura pas l'objectivité nécessaire pour établir le juste prix de ce dernier. Il aura oublié l'attitude qu'il avait à l'égard des vendeurs qui lui faisaient des conditions irréalistes. Monsieur Normand serait sage de demander l'assistance d'un spécialiste pour revendre son immeuble.

F) Au seul passage du temps...

En règle générale, vous devriez accumuler vos immeubles. Dès qu'un immeuble «s'est bâti une équité», vous le refinancez pour dégager l'argent comptant nécessaire à l'acquisition d'un autre immeuble. C'est ainsi que vous pourrez bâtir une fortune dans l'immobilier à partir d'un investissement souvent minime. Grâce à l'effet de levier, vous contrôlerez une forte quantité d'argent des autres et vous verrez s'accroître votre plus-value au seul passage du temps. On entend par effet de levier l'accroissement de la rentabilité de votre capital par l'effet de l'endettement ou, plus simplement, le fait de faire fructifier à votre profit l'argent des autres.

G) Quelques bons motifs de vendre

Je vous renvoie au chapitre I de cet ouvrage où j'ai exposé quelques-uns des motifs qui poussent un propriétaire à revendre son immeuble résidentiel à revenus. Vous êtes maintenant de l'autre côté de la barricade et vous désirez revendre votre immeuble à revenus. Évidemment, vous le revendrez lorsque vous aurez de bons motifs. Voici quelques- uns de ces bons motifs :

1) Le quartier dans lequel se trouve votre immeuble se détériore. Vous avez fait une erreur dans l'évaluation du secteur où vous avez acheté cet immeuble à revenus. Vous êtes convaincu qu'il s'agit d'une situation irréversible.

2) Vous en avez assez de votre immeuble à revenus. Dans ce cas, il est préférable de revendre votre immeuble plutôt que de le laisser aller parce que vous ne retirez plus de satisfaction d'en être propriétaire.

Il faut une mentalité spéciale pour être propriétaire d'un immeuble à revenus. Vous ne devez pas être enclin à vous faire du mouron pour un rien. Si quelque chose fait défaut, cela ne doit pas vous bouleverser au point de vous empêcher de dormir. Je connais des gens qui sont trop nerveux pour s'adonner à l'investissement immobilier. Certains prennent panique pour un rien du tout. En passant, c'est le genre de personnes avec qui vous ne devez pas vous associer pour acheter un immeuble à revenus.

Si vous administrez vous-même votre immeuble, il y a bien sûr des choses qui vont vous agacer. Par exemple, d'avoir à vous présenter devant la Régie du logement pour faire valoir vos droits peut vous ennuyer au plus haut point. Mais il y a toujours quelque chose d'agaçant quelque part. Au moins, dans ce cas, c'est vous le patron.

Il n'en tient qu'à vous de faire les changements qui s'imposent. Notamment, si les représentations devant la Régie du logement vous sont à ce point pénibles, vous pourriez les confier à un avocat ou à une avocate. N'essayez pas de tout faire vous-même pour réaliser des économies de bouts de chandelle. N'oubliez pas que vous avez choisi d'investir dans l'immobilier pour la plus-value d'abord et avant tout.

3) Vous êtes propriétaire occupant et étant donné les relations trop amicales que vous entretenez avec les locataires, il devient difficile d'augmenter leurs loyers pour suivre le taux d'inflation.

D'aucuns vous déconseilleront d'occuper un appartement de votre immeuble à revenus. Contrairement à toutes les recommandations que j'ai pu lire et entendre sur ce sujet, j'occupe un appartement dans un de mes immeubles. Je n'ai jamais eu de problèmes à ce titre. Chaque année, j'augmente les loyers de façon équitable. Monsieur Normand loge dans son immeuble avec sa famille. Jusqu'à maintenant, cette situation ne lui a pas posé de problèmes. Au fait, l'ancien propriétaire était trop loin de son investissement. Il devait compter sur un concierge à temps partiel et peu disponible pour gérer son investissement. Un investisseur sur place peut faire toute la différence. Vous ne devez pas pour autant essayer de tout faire vous-même. Ce qui importe pour vous, c'est de contrôler tout ce qui concerne votre investissement.

4) Vous désirez prendre votre retraite et vivre dans un pays ensoleillé. Ce faisant, vous ne voulez plus

entendre parler de «toilettes bouchées», de locataires bruyants, de représentations devant la Régie du logement, etc.

5) Vous n'avez plus la santé pour vous occuper de votre immeuble à revenus et ne désirez pas en confier la gestion à un autre.

6) Vous désirez une autre forme d'investissement comme les actions, obligations, bons du trésor, certificats de placement garantis, etc., ou tout simplement vous voulez acheter une rente viagère.

H) Vérifiez la qualité de votre acheteur

Avant de revendre votre immeuble, il est bien entendu que vous vous assurerez de la solvabilité et de la réputation de votre acheteur. Si vous lui transférez votre hypothèque, l'institution financière qui en est créancière ne vous dégagera pas automatiquement de votre responsabilité à cet égard. Si en plus, vous consentez à votre acheteur une seconde hypothèque, ce sera une raison supplémentaire d'être sur vos gardes, car vous pourriez «hériter» d'un immeuble détérioré advenant que vous soyez obligé de le reprendre. Si votre acheteur est une compagnie, assurez-vous de sa solvabilité et de celle de ses dirigeants. Plus la somme en argent comptant est petite, plus vous devez être prudent.

CHAPITRE V

L'ANALYSE FINANCIÈRE D'UN IMMEUBLE À REVENUS

Au risque d'énoncer une évidence, je ne saurais trop insister sur l'importance qu'il y a pour l'investisseur de faire une analyse financière minutieuse avant d'acheter un immeuble à revenus. Dans ce chapitre, nous allons ensemble effectuer une analyse financière «à la main» d'un immeuble à revenus. Je dis «à la main» parce qu'au chapitre IX, je vous donnerai un exemple de calcul de rendement d'une propriété à revenus, une projection de rendement sur cinq ans et une projection de rendement à la revente à l'aide du logiciel de l'ordinateur de la Chambre immobilière de Montréal. Je vous présenterai les mêmes calculs effectués avec le logiciel HOP/SIM de la maison HOPEM.

L'investisseur qui désire travailler seul peut se procurer un logiciel lui permettant de faire l'analyse de rentabilité de ses investissements. Je reviendrai sur cette question. Ces logiciels nous permettent d'effectuer en un tournemain des analyses sophistiquées qui, effectuées de façon traditionnelle, demanderaient de nombreuses heures de travail et des habiletés, dont certaines en mathématiques financières.

Pour établir la rentabilité d'un immeuble et, partant, sa valeur marchande, il faut bien identifier l'immeuble à revenus qui fait l'objet de notre étude et, surtout, bien circonscrire en quoi consistent le revenu et les frais d'exploitation. Faisons ensemble l'analyse de ces deux éléments au moyen de la fiche d'inscription utilisée par le courtier inscripteur. Voyez l'appendice 4, **La fiche technique**, pour un exemple de ce genre d'analyse. Il s'agit d'une formule approuvée par l'Association de l'immeuble du Québec et mise à la disposition de ses membres. On appelle communément cette formule d'inscription **Fiche technique**. Les courtiers ou agents la remplissent au moment où ils acceptent de vendre une propriété à revenus pour le compte de leurs clients. Les renseignements inscrits sur cette fiche doivent être exacts au meilleur de la connaissance du courtier inscripteur. Ils peuvent n'être disponibles que chez des courtiers qui se spécialisent dans la vente de propriétés à revenus de même qu'ils peuvent aussi faire l'objet d'une inscription au SIM/MLS (Service d'inscriptions multiples/Multiple Listing Service).Si vous travaillez avec un courtier ou un agent immobilier, cette analyse a probablement déjà été faite. Cependant, si vous travaillez seul et achetez d'un vendeur qui, lui aussi, travaille seul, vous devrez vous astreindre à faire cette analyse vous-même.

C'est un truisme de dire qu'un investisseur doit bien se documenter sur l'immeuble qu'il désire acheter. Ainsi, en suivant cette formule d'inscription, il recueille les renseignements dont il a besoin pour amorcer l'étude de l'immeuble qu'il convoite. D'abord, il indique le nom de la municipalité et celui de la paroisse où l'immeuble se trouve; il inscrit l'adresse complète en spécifiant le numéro civique, le nom de la rue de l'immeuble et près de quelle rue il est situé.

Il inscrit ensuite le prix demandé de même que la somme comptant que le vendeur désire recevoir. Il précise aussi le nombre de logements que comporte l'immeuble, par exemple, 12 appartements, soit 9 x 4 1/2 et 3 x 3 1/2. L'année de construction doit aussi être divulguée de même que l'année de réfection, s'il y a lieu. Sont aussi spécifiées les dimensions du bâtiment et du terrain avec le numéro de cadastre. Le nombre d'étages doit être mentionné avec la superficie de chacun.

Le nom du propriétaire peut apparaître, mais certains propriétaires préfèrent à ce stade-ci garder l'anonymat. Il est toujours possible de savoir qui est propriétaire d'un immeuble en consultant le rôle d'évaluation de la municipalité dans laquelle se trouve l'immeuble qui vous intéresse. Pour les municipalités situées dans l'île de Montréal, on peut, par le truchement de l'ordinateur de la Chambre immobilière de Montréal, consulter, sans même se déplacer, les rôles d'évaluation. Non seulement EDGAR nous donne l'évaluation de la propriété, mais aussi les noms et adresses complètes de ses propriétaires. Il est aussi possible de consulter l'index des immeubles du bureau d'enregistrement de la division où l'immeuble a été enregistré. On peut le faire directement en s'adressant au bureau d'enregistrement ou au moyen de l'ordinateur, si on est abonné au service de la Société québécoise d'information juridique (SOQUIJ). Je vous renvoie à mon ouvrage *Comment réussir dans l'immobilier ou Faire de l'argent dans l'immobilier... c'est toujours possible!* au chapitre VII, **Le bureau d'enregistrement est une source précieuse de renseignements**. Ensuite, on énumère dans la fiche technique les services offerts dans l'immeuble. Par exemple, y a-t-il un ascenseur, une buanderie, un stationnement, une piscine?

A) Le calcul du revenu

1) Le revenu brut

La fiche technique que le courtier du vendeur a préparée pour annoncer l'immeuble qu'il s'est engagé à vendre par contrat de courtage immobilier spécifie le revenu brut. Il s'agit du montant total des loyers des appartements de l'immeuble. On précise généralement sur la fiche technique en regard de chaque appartement, le nombre de pièces, le loyer et la date d'échéance du bail. Dans notre exemple, le revenu brut est de 58 392 $. C'est donc le revenu brut potentiel que l'immeuble peut produire si tous les logements sont loués.

2) Le taux d'inoccupation

Pour savoir quel est le taux d'inoccupation d'un secteur donné, il faut communiquer avec la Société canadienne d'hypothèques et de logement. Elle nous a informé que le taux d'inoccupation sur la Rive Sud s'établissait à environ 5 % en juin dernier. En travaillant sur le terrain, vous pourrez constater vous-même le nombre de logements à louer.

Du revenu brut déclaré par le vendeur, nous soustrayons 5 % pour tenir compte du taux d'inoccupation en vigueur dans ce secteur. Il est préférable de faire cet exercice. Si vous ne le faites pas, l'institution financière en tiendra compte de toute façon au moment où elle établira le montant du prêt qu'elle peut vous consentir. Pour être plus rigoureux dans votre analyse, vous pourriez même prévoir un certain pourcentage pour les mauvaises créances.

REVENU BRUT POTENTIEL	58 392 $
Moins 5 %	2 920 $
REVENU BRUT RÉEL	55 472 $

Au départ, nous travaillons avec la fiche technique qui nous est présentée par le courtier du vendeur. C'est à partir des chiffres qui y sont inscrits que nous formulerons notre promesse d'achat. Cependant, dans notre promesse d'achat, nous exigerons que le vendeur garantisse les revenus de son immeuble et nous stipulerons une clause prévoyant l'examen des baux. Revoyez à l'appendice 4, **La fiche technique**, voyez aussi à l'appendice 9, **La promesse d'achat** et à l'appendice 10, **Les contre-propositions**.

B) Les frais d'exploitation

1) Les taxes (ou impôts fonciers)

Les taxes municipales sont de 6 780 $ par année et les taxes scolaires de 450 $. Il est prudent de vérifier l'état des taxes auprès de la municipalité où se trouve l'immeuble que vous désirez acquérir. Dernièrement, j'ai constaté que le montant de taxes déclaré par le vendeur et apparaissant dans la fiche technique de l'immeuble était inférieur de la moitié au montant réel. En effet, pour faciliter la vente de son immeuble, le constructeur s'était engagé envers l'actuel propriétaire vendeur à assumer la moitié du compte de taxes pendant quelques années. Ne laissez rien au hasard. Vérifiez tout. Le notaire fera cette vérification, mais pour préparer les ajustements seulement. Au poste «Taxes scolaires», il serait prudent de doubler ce montant étant donné le pouvoir de taxation que le gouvernement du Québec a transféré aux commissions scolaires en 1990.

2) Le chauffage

Le chauffage est de 5 900 $. Dans notre exemple, l'immeuble est chauffé au gaz par le propriétaire. L'eau chaude est aussi fournie par le propriétaire. Il est à noter que le gaz est encore le combustible le plus économique.

3) L'électricité

Ce poste comporte un montant de 600 $. C'est ce qu'il en coûte au propriétaire en électricité pour l'éclairage des parties communes et l'alimentation des appareils électriques de son immeuble.

4) Les assurances

Les assurances sont de 703 $ seulement. Il faut noter que la structure de cet immeuble est en béton. C'est pour cette raison que les assurances sont moins chères. Je vous signale que je paie 1 368 $ d'assurance pour un 8 logements dont la structure est en bois. Si on se rend compte que le montant déclaré n'est pas raisonnable, on peut toujours demander à des courtiers en assurance de nous faire des soumissions.

5) Le concierge

Une somme de 1 450 $ est prévue à ce poste. Généralement, le propriétaire confie à un de ses locataires, moyennant une réduction de loyer, la responsabilité d'exécuter certaines tâches dans l'immeuble dont celle de s'occuper de la location des appartements vacants.

C'est un poste difficile à évaluer. Souvent, c'est le propriétaire lui-même qui s'occupe de l'entretien et de la location des logements. Le temps qu'il consacre à cette tâche n'apparaît pas dans le montant déclaré à ce poste. Évidemment son temps vaut de l'argent. Si vous prévoyez ne pas pouvoir vous occuper personnellement de l'entretien et de la location de votre immeuble, il serait prudent de faire des prévisions plus généreuses à ce poste.

Étant donné la difficulté qu'il y a d'établir un chiffre exact à ce poste, on pourrait utiliser un pourcentage comme, par exemple, 5 % du revenu brut. C'est ce que certains investisseurs font. Voyez à l'appendice 5, **La grille de pourcentages.**

Je vous rappelle que notre point de départ, c'est la fiche technique du courtier du vendeur. Les chiffres qui y sont inscrits sont ceux que nous utiliserons pour rédiger notre promesse d'achat. Toutefois, nous y stipulerons une clause d'inspection des frais d'exploitation. Il saute aux yeux qu'un examen minutieux des frais d'exploitation est capital dans la détermination du prix que nous offrirons pour un immeuble à revenus.

C) Le revenu d'exploitation net
Selon la fiche technique, le revenu d'exploitation net est de 41 909 $. À ce stade-ci de notre analyse, nous n'apportons aucune correction aux frais d'exploitation. Cependant, il faut avoir présent à l'esprit que les frais d'exploitation présentés dans la fiche technique sont ceux de l'exercice précédent. Il faudrait y ajouter au moins le taux courant d'inflation, car c'est ce que vous devrez faire si vous achetez cet immeuble, sans oublier la taxe sur les produits et services que vous aurez à assumer dès janvier 1991 jusqu'au moment où vous pourrez la refiler à vos locataires en augmentant leurs loyers, c'est-à-dire le 1er juillet 1991.

D) La liquidité ou «cash flow»

Le revenu d'exploitation net de 41 909 $, moins le service de la dette de 30 960 $, nous donne une liquidité de 10 949 $, avant impôt. Au fait, c'est l'argent disponible qui servira à compenser les intérêts qui ne seront pas gagnés sur le montant comptant que vous verserez. Il sera aussi utile pour acquitter les versements mensuels en capital et intérêts sur le solde de prix de vente que vous allez demander à votre vendeur de vous consentir par voie d'hypothèque de second rang.

CHAPITRE VI

LES DIVERSES MÉTHODES EMPIRIQUES POUR ÉTABLIR LA VALEUR D'UN IMMEUBLE À REVENUS

Une fois que vous aurez franchi toutes les étapes de recherche d'un immeuble à revenus et que vous aurez bien examiné l'état des revenus et des frais d'exploitation, vous serez prêt à franchir l'étape de la négociation du prix.

Quel prix allez-vous offrir? D'abord, comment établir le prix à payer?

Vous pouvez constater qu'il y a plusieurs méthodes utilisées par les investisseurs pour établir la valeur d'un investissement immobilier. Je vous préviens tout de suite que ces méthodes doivent être utilisées avec circonspection.

A) Le multiplicateur du revenu brut

De la même manière qu'on vend une entreprise à tant de fois ses bénéfices, on peut vendre un immeuble à tant de fois son revenu brut. Par exemple, Monsieur Normand a payé son immeuble environ sept fois le revenu brut: le revenu brut déclaré dans la fiche technique multiplié par 7 (58 392 $ x 7 = 410 000 $ ((chiffres arrondis)), c'est-à-dire le prix qu'il a payé son immeuble. Vous remarquerez à l'expérience que le multiplicateur varie selon qu'il s'agit d'un immeuble dont la structure est en béton ou en bois, chauffé ou non par le propriétaire. Ainsi, un immeuble dont la structure est en béton commandera un multiplicateur plus grand.

Toutefois, il ne faut pas se fier à cette manière d'établir la valeur marchande d'un immeuble à revenus. Le multiplicateur n'est qu'un indice qu'on utilise comme première approche pour déterminer si le prix de l'immeuble qu'on nous offre mérite que nous poussions plus loin notre recherche. Au moment de la comparaison des immeubles de même nature dans un secteur donné, on vérifie, au même moment, à combien de fois le revenu brut ils ont été vendus. Le multiplicateur n'a vraiment d'intérêt que dans la mesure où il permet de comparer des transactions «comparables».

L'investisseur qui utilise le multiplicateur de revenu brut comme seule méthode d'établir la valeur d'un immeuble à revenus peut faire une grave erreur. En effet, le multiplicateur de revenu brut ne tient ni compte des frais d'exploitation ni de la dette. Par exemple, si un investisseur se fixe un multiplicateur de revenu brut de 8 et que les frais d'exploitation sont excessifs, un tel multiplicateur est probablement trop élevé, à moins que l'investisseur ait décelé un moyen de ramener ces frais à un niveau normal une fois l'immeuble acquis. Il faut aussi prendre en considération les charges que supportent les locataires. Assument-ils les frais de chauffage, d'électricité, etc.

B) Le prix de l'appartement ou de la porte

Certains investisseurs divisent le prix demandé pour un immeuble à revenus par le nombre d'appartements qu'il comporte. Le résultat de cette opération leur donne le prix demandé par logement. On utilise aussi plus familièrement dans ce contexte l'expression «la porte» comme synonyme de logement. De toutes les méthodes empiriques utilisées pour établir la valeur marchande d'un immeuble, c'est la plus dénuée de sens. En effet, cette méthode ne nous donne pas la dimension des appartements. S'agit-il de 3 1/2 ou de 4 1/2? Elle ne nous indique rien sur les loyers exigés ni sur l'emplacement de l'immeuble. Est-il besoin de rappeler que la valeur marchande d'une propriété à revenus s'établit selon les revenus qu'elle produit ou qu'elle peut produire?

Un investisseur applique généralement cette méthode à des immeubles locatifs semblables dans un secteur donné. Comme il est à la recherche d'aubaines, il peut déterminer par cette évaluation sommaire s'il est ou non en présence d'un investissement qu'il doit analyser davantage.

C) Le multiplicateur du revenu d'exploitation net ou le taux de capitalisation

De toutes les méthodes empiriques utilisées par les investisseurs, c'est sûrement la plus valable, car elle tient compte des frais d'exploitation. Rappelons qu'on obtient le revenu d'exploitation net (RN) en soustrayant du revenu brut un pourcentage qui tient compte du taux d'inoccupation dans le secteur où se trouve l'immeuble et les frais d'exploitation. Dans notre exemple:

Revenu brut	58 392 $
Moins 5 % d'inoccupation	2 920 $
Moins frais d'exploitation	16 483 $
Revenu d'exploitation net (RN)	38 989 $

Si on appliquait un multiplicateur de 10 à ce revenu d'exploitation net (RN), la valeur marchande serait de 389 890 $.

Remarquez que le revenu d'exploitation net de 41 909 $ dans la fiche technique ne comporte aucune prévision pour le taux d'inoccupation. La valeur marchande serait de 29 200 $ (soit 2 920 $ x 10) en moins, si on tenait compte du taux d'inoccupation dans l'établissement du revenu d'exploitation net. C'est pourquoi le propriétaire vendeur va vous affirmer sans hésitation qu'il n'y a jamais d'appartements vacants dans son immeuble.

Appliquons à la transaction de Monsieur Normand la formule suivante : V/RN = MRN ou Multiplicateur de revenu (d'exploitation) net = Valeur (prix payé par Monsieur Normand) / revenu net.

$$\frac{410\ 000\ \$}{38\ 989\ \$} = 10,51$$

Cette méthode ne tient pas compte du service de la dette. De prime abord, une transaction faite en fonction du revenu d'exploitation net peut paraître un bon investissement. Mais un service de la dette excessif pourrait en faire un investissement moins intéressant. Par exemple, si l'immeuble était grevé de deux hypothèques au taux de 14 %, le service de la dette dépasserait le revenu d'exploitation net. Cependant, un investisseur peut choisir, pour des raisons qui lui sont particulières, d'encaisser, pendant un certain temps, une perte sur un immeuble et y trouver tout de même son profit. En effet, on peut attendre long-temps avant de dénicher un immeuble intéressant. Aussi, un investisseur averti sait très bien qu'il devra, jusqu'à la revente, vivre avec le prix qu'il aura versé pour un immeuble. Cependant, il sait aussi que les taux d'intérêt fluctuent et comme il s'agit généralement d'une situation passagère, il peut espérer avant la revente de son immeuble en allé-ger le service de la dette.

On appelle aussi cette méthode TAUX DE CAPITALI-SATION. En capitalisant le revenu d'exploitation net d'un immeuble, on obtient sa valeur marchande. Revenons à notre exemple. Notre immeuble produit un revenu d'exploitation net de 38 989 $ que l'on capitalise, disons à 10 %, ce qui lui donne la valeur marchande de 389 890 $. Étant donné la situation économique présente, l'investisseur est d'avis que 10 % est un taux acceptable.

La formule utilisée pour déterminer le taux de capitalisation comprend les trois éléments suivants : revenu, taux, valeur. Il suffit de connaître au moins deux éléments de cette formule pour trouver celui qui manque en faisant une simple règle de trois.

RTV

R = revenu
T = taux
V = valeur

$$valeur = \frac{revenu}{taux}$$

Question : Monsieur Normand désire capitaliser un immeuble à 10 %. Celui-ci rapporte un revenu d'exploitation net de 38 989 $. Combien devrait-il payer, s'il veut un rendement de 10 % sur son investissement?

Réponse : $V = \dfrac{R}{T} = \dfrac{38\ 989\ \$}{.10\ (10\ \%)} = 389\ 890\ \$$

Question : Monsieur Normand a payé 410 000 $ pour son immeuble qui rapporte annuellement un revenu d'exploitation net de 38 989 $. Quel est le taux de capitalisation?

Réponse : $T = \dfrac{R}{V} = \dfrac{38\ 989\ \$}{410\ 000\ \$} = 9,5\ \%$

Si on ne tient pas compte du taux d'inoccupation (remplacez dans la formule précitée 38 989 $ par 41 909 $) le taux de rendement est de 10,22 %.

D) Le plus grand nombre d'appartements

Avec l'argent comptant dont vous disposez, essayez d'acheter le plus grand nombre d'appartements. Ainsi, vous utiliserez au maximum l'effet de levier de votre investissement.

Il y a d'autres avantages lorsqu'on est propriétaire d'un immeuble de 20 logements plutôt que d'un immeuble de 8 logements. En effet, vous paierez l'immeuble de 20 logements à sa valeur marchande alors que vous achèterez l'immeuble de 8 logements en payant une prime au vendeur car la demande est plus forte pour les petits immeubles que pour les plus grands. Au fait, c'est dans les petits immeubles de 8 logements et moins, qu'on retrouve les apprentis-investisseurs.

Un immeuble qui compte un plus grand nombre d'appartements absorbe mieux les vacances. Prenons le cas où, dans votre 8 logements, deux appartements deviennent vacants. Le taux d'inoccupation de votre immeuble est de 25 %. Par contre, deux appartements vacants dans un 20 logements se traduisent par un taux d'inoccupation de 10 % seulement.

De plus, sur le plan des frais d'exploitation, il est généralement moins coûteux de les répartir sur 20 logements plutôt que sur 8. Plus on possède d'appartements, plus on est en mesure de réaliser des économies d'échelle. Par exemple, on peut négocier un meilleur prix pour le mazout, l'entretien, etc.

Enfin, le propriétaire d'un 20 logements bénéficiera d'une plus grande plus-value sur son immeuble que celui qui possède un 8 logements.

E) L'attribution d'un pourcentage aux frais d'exploitation

Dans la pratique, les institutions financières attribuent, selon les caractéristiques de l'immeuble qui fait l'objet d'une garantie de prêt hypothécaire, un pourcentage aux postes des frais d'exploitation.

Prenons pour exemple un immeuble qui génère 50 000 $ de revenu brut. L'institution financière pourra, selon ses critères d'attribution de pourcentages aux frais d'exploitation, réduire de 35 % ce revenu brut, soit 50 000 $ moins 17 500 $ = 32 500 $. L'investisseur averti procède généralement de la même façon.

Je vous réfère au chapitre suivant pour une définition du ratio de couverture de la dette. Dans notre exemple, si l'institution financière exige un ratio de couverture de la dette de 1,1, la capacité de paiement de l'immeuble est réduite à 29 545 $. Cette somme d'argent qu'on appelle aussi paiement ou PMT dans notre formule représente la capacité de l'immeuble de rembourser l'hypothèque, c'est-à-dire une fois et un dixième le revenu net (revenu brut moins les frais d'exploitation) ou PMT.

Récapitulons. Revenu brut 50 000 $/35 % de frais d'exploitation, soit 50 000 $ moins 17 500 $ = 32 500 $/1,1 (ratio de couverture) = 29 545 $ (PMT), à 11 (%i) pendant 25 ans (n). La valeur présente ou la somme d'argent que l'institution financière devrait normalement prêter, se calcule comme suit:

PMT	29 545 $
%i	11 %
N	25 ans
CPT PV*	248 820 $

Certains investisseurs utilisent une grille qui attribue un pourcentage à chaque poste des frais d'exploitation. J'en utilise une à l'occasion, mais avec beaucoup de réserve. Voyez l'appendice 5 pour vous donner une idée d'une telle grille. Vous noterez, à l'expérience, que les frais varient d'un secteur à l'autre. Dernièrement, en comparant deux immeubles identiques, construits en même temps par le même constructeur, j'ai constaté que non seulement les revenus étaient différents, mais aussi les frais d'exploitation. L'utilisation de pourcentages doit donc se faire avec discernement. En comparant les frais d'exploitation de différents immeubles, on constate que l'investisseur tire aussi profit de la qualité de sa gestion immobilière.

F) Le taux de rendement de l'équité (cash-on-cash return)

On obtient le taux de rendement de l'équité en divisant la liquidité avant impôts ou le cash flow par la somme

*Compute Present Value (calcule la valeur présente)

d'argent comptant versée pour acquérir un immeuble. En d'autres termes, c'est le rapport entre la liquidité après le paiement de la dette mais avant les impôts et la mise de fonds initiale. Un investisseur peut utiliser cet outil s'il doit choisir entre deux immeubles pour déterminer le taux de rendement de son équité (cash-on-cash return). Voyons quel est le taux de rendement de la mise de fonds de Monsieur Normand. Habituellement, ce taux se situe entre 6 % et 25 %.

$$\frac{\text{«Cash flow»} = 2\ 140\ \$}{\text{«Cash»} = 85\ 000\ \$} = 2,51\ \%$$

La liquidité avant impôt a été prise dans la projection de rendement faite avec EDGAR. Voyez la rubrique D «Liquidité avant impôt» pour la première année à l'appendice 7.

Monsieur Normand était fier d'acheter un immeuble dont la structure était en béton. Pour lui, il s'agissait d'un facteur très important. De plus, cet immeuble se comparait avantageusement avec d'autres immeubles semblables sur le marché. Il était disposé à payer plus cher pour obtenir un immeuble de qualité. Le rapport entre la liquidité avant impôt et la somme comptant qu'il versait lui semblait acceptable étant donné la qualité de l'immeuble.

CHAPITRE VII

LES PRINCIPAUX RATIOS UTILISÉS POUR ANALYSER UN INVESTISSEMENT IMMOBILIER

Un ratio est le rapport de deux grandeurs auquel on attribue une signification particulière. Il est souvent exprimé en pourcentage. C'est donc un outil qui permet de mesurer la relation entre deux nombres. Les ratios suivants facilitent l'analyse de la rentabilité des investissements immobiliers :

A) Le ratio d'endettement

$$\text{Ratio d'endettement} = \frac{\text{les emprunts sur l'immeuble}}{\text{le prix ou la valeur de l'immeuble}}$$

Appliquons ce ratio à la situation dans laquelle se trouve Monsieur Normand. Son immeuble acquis au prix de 410 000 $ est grevé de deux hypothèques, l'une de 250 000 $ et l'autre de 75 000 $ pour un total de 325 000 $. Ici, j'utilise les chiffres de l'appendice 7.

$$\text{Ratio d'endettement} = \frac{325\,000\,\$}{410\,000\,\$} = 79,27\,\%$$

On mesure avec ce ratio les risques financiers associés au prêt et à l'emprunt d'argent. Ce ratio mesure donc l'importance de la dette par rapport à la valeur de l'immeuble. Avec le temps, ce ratio va diminuer; au fur et à mesure des remboursements de capital, la dette diminuera et l'immeuble prendra une plus-value. Plus ce ratio est élevé moins le coussin de sécurité du prêteur est confortable advenant que l'emprunteur ne puisse plus honorer ses obligations. Ce ratio se situe normalement entre 60 et 90 %. Appliqué à la situation de Monsieur Normand, le ratio de 79,27 % est acceptable et se trouve dans la norme.

B) Le ratio de couverture de la dette

Les prêteurs d'argent veulent savoir en quoi consiste le revenu d'exploitation net d'un immeuble. C'est tout à fait légitime, car ils dépendent de ce revenu pour le remboursement des prêts qu'ils consentent. Dans quelle mesure ce revenu net peut-il être réduit sans pour autant mettre en danger le remboursement de la dette? Tout investisseur expérimenté applique ce ratio avant même de décider de faire un investissement et de faire une demande de prêt à la banque. Ici, les chiffres utilisés sont ceux de l'appendice 4, **La fiche technique** et de l'appendice 7 pour le service de la dette. La formule de ce ratio est la suivante:

$$\text{Ratio de couverture de la dette} = \frac{\text{revenu d'exploitation net}}{\text{service de la dette}}$$

Soumettons la situation de Monsieur Normand à ce ratio:

$$\frac{41\ 909\ \$}{(31\ 719\ \$ + 8\ 050\ \$) = 39\ 679\ \$} = 1,05$$

La liquidité ou «cash flow» est de (41 909 $ − 39 769 $) 2 140 $. En d'autres termes, le revenu d'exploitation net pourrait diminuer de 2 140 $ et le débiteur pourrait quand même faire ses versements hypothécaires. Dans une situation économique normale, les institutions financières exigent généralement un ratio de 1,1. Évidemment, plus le ratio est élevé, plus l'investissement est attirant pour l'investisseur. Monsieur Normand n'a pas fait de demande de prêt à la banque. Tout ce qu'il a demandé, c'est que la banque lui transfère une hypothèque qui lui était avantageuse étant donné l'état du marché. Au moment où il a fait l'acquisition de son immeuble, il est probable que la banque aurait exigé un ratio plus élevé, soit au moins 1,17 pour obtenir un prêt à 13 3/4 %. C'est ce qui ressort des démarches que j'ai faites à cette époque auprès de certaines institutions financières. Pour un exemple d'application du ratio de couverture de la dette, je vous renvoie au chapitre précédent.

C) Le ratio des frais d'exploitation

Nous avons vu à quel point une analyse minutieuse des frais d'exploitation d'un immeuble à revenus est une opération importante. Il est capital de savoir quel pourcentage du revenu brut réel il faut consacrer aux frais d'exploitation. Plus le ratio des frais d'exploitation est élevé, moins il reste de revenu disponible à l'investisseur, car il ne touche de revenu qu'après avoir payé les frais d'exploitation. Ce ratio peut se situer entre 25 et 80 % du revenu brut réel tout dépendant du genre d'immeuble et de la qualité de sa gestion. En voici la formule :

$$\text{Ratio des frais d'exploitation} = \frac{\text{frais d'exploitation}}{\text{revenu brut réel}}$$

Appliquons ce ratio à l'immeuble que Monsieur Normand vient d'acheter. Nous puisons ces chiffres dans la fiche technique à l'appendice 4. Les frais d'exploitation sont de 16 483 $. Du revenu brut potentiel 58 392 $, nous soustrayons 5 % pour tenir compte du taux d'inoccupation dans le secteur. Le revenu brut réel est de 55 472 $.

$$\frac{16\ 483\ \$}{55\ 472\ \$} = 30\%$$

Pour ce qui est des frais d'exploitation, il y a des postes qui devraient être majorés, notamment, les taxes scolaires, et de façon générale d'autres postes qui pourraient subir le cours de l'inflation. Pour être réaliste, ce ratio devrait se situer à environ 32 %. Des frais d'exploitation de l'ordre de 32 % du revenu brut réel sont considérés dans la norme étant donné qu'il s'agit d'un immeuble dont la structure est en béton. Un tel ratio est susceptible de plaire à l'investisseur et au prêteur.

D) Le ratio «cash breakeven»

On utilise ce ratio pour mesurer la capacité de l'immeuble de payer à même le revenu brut potentiel qu'il génère, tous les frais d'exploitation et de financement qui doivent être payés comptant. Dans le calcul de ce ratio, on soustrait tout montant prévu au poste «réserve pour remplacements», car il ne s'agit pas d'une dépense. Le ratio «cash breakeven» varie entre 60 et 80 %. En voici la formule et une application à la situation de Monsieur Normand :

$$\text{Ratio «cash breakeven»} = \frac{\text{frais d'exploitation} + \text{service de la dette} - \text{réserve pour remplacements}}{\text{revenu brut potentiel}}$$

$$\frac{16\,483\,\$ + 39\,769\,\$ - 0}{58\,392\,\$} = 96\,\%$$

Pour le revenu brut potentiel et les frais d'exploitation, j'ai pris les chiffres de la fiche technique à l'appendice 4. Ceux du service de la dette proviennent de l'appendice 7, **Calcul de rendement d'une propriété à revenu.** À 100 %, les dépenses sont égales au revenu. Ainsi, plus le ratio est bas, meilleur est le rendement ou «cash return» pour l'investisseur. Monsieur Normand devrait ajouter à ses prévisions budgétaires une réserve pour remplacements.

CHAPITRE VIII

LES MÉTHODES UTILISÉES PAR LES ÉVALUATEURS POUR ÉVALUER UN IMMEUBLE À REVENUS

Dans mon ouvrage intitulé *Comment réussir dans l'immobilier ou Faire de l'argent dans l'immobilier... c'est toujours possible!*, je consacre un chapitre à l'étude d'un cas qui illustre de façon concrète le moyen d'établir la valeur marchande d'un immeuble. Je vous réfère donc à cet ouvrage que vous pouvez vous procurer chez votre libraire. Pour les fins de cet exposé, je ne ferai qu'un survol des principales techniques utilisées par les évaluateurs agréés.

Les diverses méthodes que je vous ai exposées dans le chapitre précédent ont leurs limites. Dans bien des cas, il serait souhaitable de fonder l'évaluation d'un investissement sur des techniques d'évaluation plus scientifiques. Faites appel aux services d'un évaluateur agréé. C'est un professionnel spécialisé dans l'évaluation des biens immobiliers. Il abordera l'évaluation de l'immeuble que vous désirez acheter selon des méthodes éprouvées.

Les évaluateurs utilisent principalement les trois méthodes suivantes:

A) La méthode de l'analyse du marché ou technique de parité

Cette méthode a pour fondement la comparaison directe avec les ventes récentes d'immeubles semblables sur le marché. Il s'agit donc de comparer l'immeuble qu'on veut vendre ou acheter avec d'autres de même nature dans le voisinage.

B) La technique du coût

Cette technique d'évaluation a pour fondement le coût de remplacement d'un bâtiment, moins la dépréciation, plus la valeur marchande du terrain.

C) L'évaluation de la valeur marchande par l'application de la technique du revenu en utilisant la méthode de capitalisation hypothèque/mise de fonds

Cette méthode d'évaluation est basée sur la capitalisation du revenu net d'un immeuble d'où sa désignation de technique du revenu. Au fil des années, le propriétaire rembourse sa dette ou, si vous voulez, l'amortit. Cette technique d'évaluation tient compte de ce fait. Ainsi, l'application de la méthode hypothèque/mise de fonds permet d'estimer la valeur d'un immeuble en fixant un taux de rendement sur la mise de fonds du propriétaire. (Par exemple, si la mise de fonds est de 50 000 $, on établira comme taux de rendement celui que l'on obtiendrait sur un certificat de placement garanti.) Ce taux de rendement, combiné au taux d'intérêt d'une hypothèque sur le marché, est, à titre d'exemple, le taux courant pour une hypothèque conventionnelle, renouvelable dans trois ans à 10 1/2 %, au jour de l'acquisition, pour une période d'amortissement de 25 ans.

On détermine le pourcentage de l'hypothèque par rapport à la mise de fonds à 75 % pour l'hypothèque et 25 % pour la mise de fonds. On suppose que l'immeuble est hypothéqué à 75 % de sa valeur au taux de 10 1/2 %. Sur la mise de fonds, on retient un rendement de 7 %, c'est-à-dire le taux de rendement que l'on obtiendrait sur un certificat de placement garanti. Plus particulièrement, je vous renvoie aux pages 32 et 33 de mon ouvrage cité au début de ce chapitre pour une application concrète de cette méthode.

$$0,75 \times 0,1114 = 8,35\ \%$$
$$0,25 \times 7\ \% \quad = \underline{1,75\ \%}$$
$$\overline{10,10\ \%}$$

Le taux de capitalisation est de 10,10 %. 0,1114 est le facteur annuel de l'amortissement de l'hypothèque que l'on trouve dans une table précalculée. Dans ma bibliographie sommaire, à la fin de ce livre, vous trouverez la référence aux tables que les évaluateurs utilisent et que vous pouvez vous procurer à l'Institut canadien des évaluateurs à Winnipeg. De plus, à l'appendice 6, **Calcul de la valeur par la technique du revenu**, je vous présente la démonstration du calcul de notre exemple.

Vous remarquerez que la méthode TAUX DE CAPITA-LISATION exposée dans le chapitre V, et qui est aussi une technique du revenu, est différente de celle utilisée par les évaluateurs agréés. Cette dernière est évidemment plus précise, car elle tient compte de la capitalisation de l'hypothèque et de la mise de fonds.

CHAPITRE IX

LES PROGRAMMES INFORMATIQUES DE CALCUL DE RENDEMENT D'UN IMMEUBLE RÉSIDENTIEL À REVENUS

A) Les programmes de la Chambre immobilière de Montréal

1) Le calcul de rendement d'une propriété à revenus
J'utilise le logiciel de calcul de rendement d'une propriété à revenus disponible sur l'ordinateur de la Chambre immobilière de Montréal. C'est un logiciel qui se manipule avec beaucoup de facilité. Un manuel d'instructions le rend convivial et accessible à tous.

Il est facile et peu coûteux de préparer plusieurs scénarios en vue de négocier l'acquisition d'un immeuble à revenus. En un tournemain, l'ordinateur affiche autant d'hypothèses de travail qu'on peut en imaginer.

Je vous réfère à l'appendice 7 pour les sorties imprimées des programmes que nous analysons en détail dans les prochaines pages. Faites l'exercice de puiser vous-même les données dont vous avez besoin pour faire les analyses de rentabilité de l'immeuble de Monsieur Normand dans les appendices 9 et 10, **La promesse d'achat** et **Les contre-propositions**.

Saisie des données
Avant de vous brancher sur EDGAR, assurez-vous d'être en possession des données de ce programme pour chacune des rubriques de A à N. Voyons chacune de ces rubriques.

A. Prix de la propriété : 410 000 $

On indique en regard de cette rubrique le prix payé pour la propriété si l'acquisition a déjà été faite ou le prix qu'on se propose d'offrir. Monsieur Normand a payé 410 000 $ pour son immeuble à revenus. C'est ce qui ressort de la contre-proposition qu'il a acceptée. Référez-vous à l'appendice 10.

B. Actif net : 85 000 $

L'expression «actif net» dans ce contexte désigne tout simplement la somme d'argent comptant qu'on a versée ou qu'on se propose d'offrir pour l'acquisition de la propriété, soit, dans notre exemple, 85 000 $. Revoyez l'appendice 10.

C. Coût en capital non amorti : 307 500 $

Pour déterminer ce chiffre, il faut soustraire du prix de la propriété (A) la valeur du terrain. On sait que pour fins fiscales seul le bâtiment fait l'objet de dépréciation. Pour les fins de notre exercice, on peut simplement appliquer une règle empirique : 75 % pour le bâtiment, 25 % pour le terrain. On peut aussi utiliser la proportion établie au rôle d'évaluation pour cet immeuble. Cette dernière approche serait considérée comme raisonnable par le fisc.

C'est à l'occasion de l'aliénation d'un bien immobilier que le fisc récupérera la dépréciation qu'il vous a permis de réclamer. Il lui importe donc que la répartition du prix de vente entre le terrain et le bâtiment se fasse d'une façon raisonnable. Il s'agit d'une question qui relève d'un spécialiste. Je vous suggère donc de demander conseil à un fiscaliste avant de conclure votre opération immobilière.

Pour une étude de cette question, je vous renvoie à l'exposé présenté par Réal Faucher, c.a., in LE PLACEMENT IMMOBILIER APRÈS LA RÉFORME FISCALE, Colloque #28, Association de planification fiscale et financière, Montréal, 1988, pages 49 à 57.

D. Dépréciation annuelle : 4 %

Cette dépréciation a été réduite à 4 % depuis la dernière réforme fiscale. L'immeuble que vient d'acheter Monsieur Normand tombe dans la catégorie 1. Celui-ci a-t-il raison de se prévaloir de cette déduction d'impôt? Une déduction pour amortissement ne nécessite pas de déboursés. C'est pourquoi les investisseurs la trouve avantageuse. Au fait, en vous donnant la possibilité de faire une déduction pour amortissement, le fisc vous permet de reporter à plus tard le paiement d'une fraction d'impôt. Comme on dit souvent : «Le temps, c'est de l'argent». En d'autres termes, vous avez le choix d'acquitter tout de suite une fraction de vos impôts ou d'en reporter le paiement à plus tard. Entre-temps, vous pouvez en tirer un rendement intéressant. Voyons si Monsieur Normand a pris une sage décision.

Année	Liquidité avant impôt	+	Capital hypothèque	=	Total rendement annuel
1	2 140 $		3 312 $		5 452 $
2	3 816 $		3 706 $		7 522 $
3	5 559 $		4 147 $		9 706 $
4	7 372 $		4 641 $		12 013 $
5	9 257 $		5 194 $		14 451 $
	28 144 $		21 000 $		49 144 $

Année	Déduction pour amortissement
1	5 452 $
2	7 522 $
3	9 706 $
4	11 392 $
5	10 937 $
	45 009 $

Le manuel d'instructions que la Chambre immobilière de Montréal met à la disposition des usagers d'EDGAR nous indique qu'il n'y a aucun capital d'hypothèque, ni de déduction pour amortissement à la colonne de la dernière année de rétention. Les concepteurs de ce programme tiennent sans doute pour acquis que l'immeuble sera vendu avant la fin de l'année civile, c'est-à-dire avant le 31 décembre. Prenons comme hypothèse que Monsieur Normand vend son immeuble le 15 décembre. Dans ce cas, comme il n'en est plus propriétaire à la fin de l'année, il n'a pas droit de réclamer un amortissement à l'égard de ce bien pour cette année-là. Présumons qu'il sera propriétaire à la fin de l'année et qu'il ne vendra son immeuble qu'au début de janvier. En utilisant le programme HOP/SIM, que je vous présente un peu plus loin dans ce texte, nous pouvons faire ces calculs en ajoutant les chiffres de la cinquième année à ces deux postes. Voyez l'appendice 8.

Pratiquement, pendant ces 5 années, le montant de la dépréciation réclamée permet de compenser le revenu (la liquidité) et le remboursement du capital hypothèque.

On émet l'hypothèse que le revenu de Monsieur Normand est imposable à 40 %. Le total de la dépréciation, 45 009 $ au taux de 40 %, donne un impôt payable de 18 004 $. Au moment de la revente de son immeuble, Monsieur Normand devra verser un impôt de 18 004 $ au fisc pour avoir joui d'un «cash flow» de 28 144 $ pour ainsi dire exempt d'impôt.

Il a bénéficié légalement de l'argent des autres, en l'occurrence de celui du fisc.

Coût de l'argent (impôt payable) $\dfrac{18\,004\,\$}{28\,144\,\$} = 64\,\%$
Bénéfice gagné

Monsieur Normand a sûrement pris une sage décision, car elle lui a valu un taux de rendement de 64 % aux dépens du fisc.

Cependant, je vous fais remarquer que, dans la pratique, on ne réclame pas la déduction pour amortissement, étant donné que les dépenses qu'on peut déduire suffisent généralement à réduire à zéro les revenus d'un immeuble. Dès qu'un immeuble rapporte des revenus imposables, il est préférable d'acheter un second immeuble dont les pertes seront absorbées par les profits réalisés par le premier.

Il est à noter que Monsieur Normand ne pourra déduire que 50 % de 4 % la première année. Le programme informatique ne tient pas compte de cette restriction.

E. Exemption sur gain en capital : 100 000 $

On sait que chaque contribuable a droit à une exemption à vie de 100 000 $ sur ses gains en capital. Comme Monsieur Normand n'a pas déclaré à ce jour de gains en capital, on indique le plein montant. Mais si Monsieur Normand en avait déjà utilisé une partie, par exemple 75 000 $ ou 25 000 $, on réduirait d'autant la somme de 100 000 $. Le programme d'analyse de rendement à la revente a besoin de cette donnée pour établir l'imposition du gain en capital de Monsieur Normand dans l'hypothèse où celui-ci revendrait sa propriété au bout de cinq ans.

F. Portion imposable du gain en capital : 75 %

Depuis le 1er janvier 1990, la portion imposable du gain en capital a été augmentée à 75 %.

G. Impôt sur le revenu : 40 %

On indique le taux d'imposition personnel du propriétaire ou de l'éventuel acquéreur de la propriété. Ici, j'ai inscrit le taux d'imposition personnel approximatif de Monsieur Normand.

H. Période de rétention : 5 années

Comme Monsieur Normand a 60 ans et qu'il désire prendre sa retraite à 65 ans, j'ai établi la période de rétention à 5 années. De toute façon, le programme ne permet pas de faire des projections plus longues.

I. Plus-value annuelle possible : 8 %

Étant donné la plus-value que l'immobilier a connue au cours des dix dernières années dans la région de Montréal, il apparaît raisonnable de prévoir une augmentation annuelle de 8 % à ce poste.

J. Changement annuel du revenu d'exploitation : 4 %

Monsieur Normand prévoit un taux moyen d'inflation de 4 % pour les cinq prochaines années. C'est un chiffre qui semble raisonnable, de prime abord. Il espère augmenter les loyers de son immeuble de manière à suivre l'inflation.

K. Nombre d'hypothèques (maximum 3) : 2

Monsieur Normand assume deux hypothèques. D'abord, il a pris à sa charge une première hypothèque de 250 000 $, à 12 % d'intérêt, dont l'échéance aura lieu dans 2 ans et qui grevait déjà l'immeuble. Ici, on a pris le chiffre qui apparaît à la fiche technique de l'appendice 4. Ensuite, le vendeur a consenti à Monsieur Normand un solde de prix de vente de 75 000 $, garanti par deuxième hypothèque, au taux d'intérêt de 9 % la première année, 10 % la seconde et 11 % la troisième année, pendant 25 ans et échéant dans 3 ans. Comme le programme ne nous permet pas de faire ce genre de calcul, nous indiquons un taux d'intérêt moyen de 10 %. Il est à remarquer que le montant de la première hypothèque pourra varier de quelques milliers de dollars lorsque le transfert aura lieu et que les ajustements seront faits. De même, celui du solde du prix de vente pourra aussi être différent de quelques milliers de dollars.

L'ordinateur affiche instantanément le service annuel de la dette, soit ce qu'il en coûtera approximativement à Monsieur Normand en capital et en intérêts pendant les deux prochaines années, pour assumer cette première hypothèque. Ensuite, il affiche aussitôt le service annuel de la dette créé par cette seconde hypothèque.

Montant du prêt	: 250 000 $	75 000 $
Intérêt	: 12.00	10.00
Période d'amortissement restante	: 22.00	25.00
Service annuel de la dette	: 31 719 $	8 050 $

L. Revenu d'exploitation net : 41 909 $

Pour déterminer le revenu d'exploitation net, j'utilise, comme chiffres de base, ceux qui ont été déclarés par le vendeur dans la fiche technique.

Comme il s'agit des frais d'exploitation de l'année précédente, je vous rappelle qu'il faudrait ajouter au moins 4 % aux prévisions du prochain exercice. Je vous rappelle aussi que la taxe sur les produits et services (T.P.S) qui est entré en vigueur dès janvier 1991 aura un impact sur les frais d'exploitation.

M. Frais de courtage : 5 %

Le programme nous demande d'indiquer les frais de courtage parce que cette donnée est nécessaire pour établir le prix net de la propriété à la revente (Voyez (C) RENDEMENT À LA REVENTE). Il est à noter que les frais de courtage payés à l'achat s'ajoutent au coût en capital de l'immeuble ou au prix de base rajusté (PBR). À la revente de l'immeuble, ils réduiront le gain en capital ou augmenteront la perte en capital.

N. Classe 31 ou 32 (O/N) : n

Si l'immeuble fait partie de l'une de ces catégories, il faut l'indiquer par la lettre O. Dans le cas contraire, inscrivez la lettre N. Je vous renvoie au chapitre XIII, **Quelques questions d'impôt**, pour une définition de ces catégories d'immeuble et leur traitement fiscal sur le plan de la déduction pour amortissement.

2) La projection de rendement

Cette projection de 5 années n'est qu'indicative du rendement possible de cet immeuble à revenus. Entre-temps, bien des événements peuvent survenir. Par exemple, l'hypothèque de 250 000 $ venant à échéance dans 2 ans devra être renouvelée. À quelles conditions le sera-t-elle? De plus, la seconde hypothèque devra, elle aussi, être renouvelée dans 3 ans.

De toute évidence, il ne faut voir dans ces projections qu'un outil visant à nous guider dans nos décisions.

Analysons, poste par poste, les données de cette projection de rendement sur 5 années.

A. Revenu d'exploitation net : 41 909 $

Le programme fait une projection du revenu d'exploitation net sur une période de cinq années avec une augmentation annuelle de 4 %. Rappelons que Monsieur Normand espère majorer ses loyers, au cours des cinq prochaines années, de 4 % en moyenne. Rappelons que le revenu d'exploitation net s'obtient en soustrayant du revenu brut les frais d'exploitation.

B. Pourcentage du prix : 10,22

$$\frac{A \times 100}{Prix} \quad \frac{41\ 909\ \$ \times 100}{410\ 000\ \$} = 10,22$$

Cette donnée nous indique que, la première année, le revenu d'exploitation net est 10,22 % du prix de la propriété. Ce pourcentage est raisonnable. Si Monsieur Normand appliquait un multiplicateur de revenu d'exploitation net de 10, la valeur marchande de son immeuble serait déjà de 419 090 $.

C. Service de la dette : 39 769 $

C'est l'addition du service de la dette des deux hypothèques : 31 719 $ + 8 050 $ = 39 769 $. Mais attention! Le programme prévoit que ce service demeurera inchangé tout au long de cinq années. Monsieur Normand ne doit pas perdre de vue qu'il a une première hypothèque à renouveler dans deux ans et une seconde dans trois ans.

D. Liquidité avant impôt : 2 140 $

Cette somme, nous l'avons vue en analysant la fiche technique, représente le revenu brut moins les frais d'exploitation et le service de la dette. C'est l'argent liquide dont peut disposer Monsieur Normand : A − C.

E. Pourcentage de l'actif : 2,51

Cette donnée nous informe que l'argent comptant (85 000 $) que Monsieur Normand a investi ou investira dans l'immeuble rapporte ou rapportera en «cash» 2 140 $. C'est ce qu'on appelle «Cash on Cash», soit :

$$\frac{\text{«Cash flow»}}{\text{«Cash»}} \quad \frac{2\ 140\ \$}{85\ 000\ \$} = 2{,}51\ \%$$

On appelle aussi ce rapport «Equity Dividend». La somme comptant investie par Monsieur Normand au moment de l'acquisition de l'immeuble donne un rendement «liquide» de 2,51 %.

F. Capital hypothèque : 3 312 $

On entend par «capital hypothèque», la somme d'argent que Monsieur Normand a remboursée ou remboursera sur ses deux hypothèques. C'est ce qu'on appelle aussi «Equity Build-up» ou accroissement de la valeur de l'immeuble ou, en d'autres termes, la plus-value.

G. Revenu imposable brut : 5 452 $

On additionne la liquidité avant impôt (D) 2 140 $ au capital hypothèque (F) 3 312 $ pour obtenir le revenu imposable brut de 5 452 $.

H. Déduction amortissement : 5 452 $

On pourrait normalement déduire 4 % du coût en capital non amorti du prix de la propriété, soit 4 % de 307 505 $ = 12 300 $. Comme les lois fiscales ne permettent pas de créer de pertes avec la dépréciation, on doit se limiter, dans ce cas, à la somme de 5 452 $ qui est le revenu imposable brut. Je vous rappelle que le fisc n'autorise, la première année, qu'une déduction de 50 % du pourcentage permis, soit 50 % de 4 %, dans notre cas.

I. Revenu imposable (net) :

En utilisant la dépréciation pour amortissement permise de 5 452 $ jusqu'à concurrence du revenu imposable, on le réduit à zéro : G – H. Je vous rappelle qu'on ne peut ni créer ni augmenter une perte au moyen de la déduction pour amortissement.

J. Impôt sur le revenu :

Dans ces circonstances, il n'y a aucun impôt à payer comme on vient de l'expliquer dans I. Il faudrait attendre, selon cette projection de rendement, à la quatrième année pour payer de l'impôt.

K. Liquidité après impôt : 2 140 $

Cette somme n'est pas imposable étant donné les déductions permises : D—J.

L. Pourcentage de l'actif net après impôt : 2,51

Comme il n'y a pas eu d'impôt à payer, ce pourcentage est resté le même que dans (E) : 2 140 $ (K) divisé par l'argent comptant investi 85 000 $ = 2,51 %.

M. C.C.N.A. en fin d'année : 302 053 $

Le coût du capital non amorti à la fin de l'année d'imposition est de 307 505 $ − 5 452 $, déduction pour amortissement : 302 053 $.

N. Solde de l'hypothèque à la fin de l'année : 321 687 $

Le total des deux hypothèques est de 250 000 $ + 75 000 $ = 325 000 $ − 3 312 $ (F), le capital hypothèque ou la somme du capital qui a été remboursée au cours de l'année : 321 687 $.

3) Le rendement à la revente

En puisant dans les données des deux programmes précédents, Monsieur Normand obtient une projection de ce que pourrait être le rendement de son immeuble, s'il le revendait dans cinq ans. Monsieur Normand est pleinement conscient que cette projection n'est qu'un outil qu'il doit utiliser avec beaucoup de discernement.

Analysons chacune des rubriques de ce programme.

A. Prix à la revente : 602 422 $

Comment l'ordinateur en arrive-t-il à établir ce prix de revente dans cinq ans? Il faut se référer au premier programme CALCUL DE RENDEMENT D'UNE PROPRIÉTÉ À REVENUS pour y puiser les données nécessaires à l'établissement de ce prix de revente. Le prix de la propriété (A) est de 410 000 $. On a prévu à (I), un accroissement annuel de la valeur de l'immeuble de l'ordre de 8 %, autrement dit, une plus-value annuelle possible de 8 %. C'est en partant de ces deux données que l'ordinateur nous donne un prix de revente possible de 602 422 $. Pour bien comprendre cette opération, faisons l'exercice suivant:

Prix de la propriété: 410 000 $

Plus-value annuelle possible: 8 %

Première année   410 000 $ + 8 % = 442 800 $
Deuxième année   442 800 $ + 8 % = 478 224 $
Troisième année   478 224 $ + 8 % = 516 481 $
Quatrième année 516 481 $ + 8 % = 557 798 $
Cinquième année 557 798 $ + 8 % = 602 422 $

On pourrait évidemment utiliser d'autres méthodes pour établir le prix de revente de notre immeuble. Par exemple, le programme PROJECTION DE RENDEMENT nous indique que le revenu d'exploitation net (REN) est de 49 026 $ (A) au cours de la cinquième année. Dans cinq ans, un rendement de 10 % sera-t-il suffisant? Supposons qu'il le sera. Monsieur Normand décide d'appliquer à son immeuble un multiplicateur de revenu d'exploitation net (REN) de 10, soit 49 026 $ x 10. De cette façon, il obtient une valeur de revente possible de 490 260 $.

Par l'application de ces méthodes, Monsieur Normand observe qu'il y a un écart important entre les prix de revente suggérés. Il ne faut donc pas se limiter à une seule méthode. Aussi, je vous invite à appliquer à cette étude de cas les autres méthodes empiriques que les investisseurs utilisent. Vous pouvez aussi faire appel aux services d'un évaluateur agréé.

B. Frais de courtage: 30 121 $

Si Monsieur Normand retient les services d'un courtier en immobilier pour revendre son immeuble à revenus, on présume qu'on lui demandera au moins 5 % de commission sur le prix de vente, c'est-à-dire, dans notre cas, 30 121 $.

C. Prix net de revente : 572 301 $

Le prix de revente (A) - Les frais de courtage (B) = 572 301 $. Ces données ne sont pas complètes, car Monsieur Normand pourra déduire du produit de la revente de son immeuble, outre les frais de courtage, les frais juridiques, les frais d'arpentage, les droits de mutation, etc. Je vous renvoie au *Guide d'impôt-Gains en capital,* Revenu Canada impôt.

D. Solde de l'hypothèque : 303 997 $

Référez-vous au programme PROJECTION DE RENDE-MENT et constatez que le poste «Solde hypothèque» à la fin de la cinquième année (N) est de 303 997 $.

E. Actif net à la revente : 268 304 $

Pour obtenir l'actif net à la revente, le programme sous-trait le solde de l'hypothèque 303 997 $ (D) du prix net de revente 572 301 $ (C), soit 268 304 $.

F. Actif net original : 85 000 $

Revoyez le premier programme CALCUL DE RENDE-MENT D'UNE PROPRIÉTÉ À REVENUS, actif net 85 000 $, soit le comptant que Monsieur Normand a versé lors de l'achat de son immeuble. C'est de cet actif net dont il s'agit ici.

G. Augmentation de l'actif net avant impôt : 183 304 $

Pour obtenir cette donnée, le programme soustrait de l'actif net à la revente de 268 304 $ (E), l'actif net original de 85 000 $ (F), soit 183 304 $.

H. Gain en capital : 162 301 $

L'ordinateur obtient le gain en capital de 162 301 $ en soustrayant du prix net de revente 572 301 $ (C) du présent programme, le prix de la propriété 410 000 $ (A) du premier programme CALCUL DE RENDEMENT D'UNE PROPRIÉTÉ À REVENUS (572 500 $—410 000 $ = 162 301 $).

I. Exemption sur gain en capital : 100 000 $

Monsieur Normand m'a informé qu'à ce jour, il n'avait réclamé aucune exemption à ce titre et que son compte de perte nette cumulative sur placements (PNCP) était à zéro. Il a donc droit à la pleine exemption à vie de 100 000 $.

J. Gain en capital moins exemption : 62 301 $

Le gain en capital est de 162 301 $ (H) moins l'exemption de 100 000 $ (I) auquel a droit Monsieur Normand = 62 301 $.

K. Gain en capital imposable : 46 725 $

Rappelons que depuis le 1er janvier 1990, la portion imposable du gain en capital est de 75 % : 75 % de 62 303 = 46 725 $.

L. Dépréciation annuelle récupérée : 34 073 $

Au cours de ces cinq années, Monsieur Normand s'est prévalu des dispositions des Lois de l'impôt à ce chapitre et a réclamé 37 342 $. Le fisc l'attendait au coin de la rue. À l'occasion de l'aliénation de son immeuble, Monsieur Normand doit ajouter à son gain en capital imposable ce qu'il a déduit des revenus de son immeuble au moyen de la dépréciation.

M. Total imposable : 80 798 $

Il s'agit d'ajouter le gain en capital imposable de 46 725 $ (K) à la dépréciation annuelle récupérée de 34 073 $ (L) pour obtenir le total imposable : 80 798 $.

N. Impôt sur le revenu : 32 319 $

Monsieur Normand m'a informé que son taux d'imposition était d'environ 40 % (Référez-vous au premier programme CALCUL DE RENDEMENT D'UNE PROPRIÉTÉ À REVENUS, Impôt sur le revenu : 40 % (G)). En appliquant 40 % au total imposable de 80 798 (M), on obtient 32 319 $, c'est-à-dire l'impôt sur le revenu que Monsieur Normand doit verser au fisc. Je vous signale qu'il ne s'agit ici que d'un aspect de la situation fiscale de Monsieur Normand. En effet, au moment où il produira ses déclarations d'impôts, il faudra tenir compte de l'ensemble de sa situation fiscale. L'exercice proposé ici n'est évidemment qu'une approximation.

O. Augmentation de l'actif net après impôt: 150 985 $

L'actif net était de 85 000 $. Rappelons que c'est la somme initiale en argent comptant que Monsieur Normand a versée au moment de l'acquisition de son immeuble: G - N, c'est-à-dire 183 304 $ - 32 319 $ = 150 985 $.

P. Actif net sur une base annuelle: 25 736 $

L'actif net sur une base annuelle = l'augmentation de l'actif net après impôt x facteur.

P = O x facteur
O = 150 985 $
P = 150 985 $ x facteur

Calcul du facteur

$$\text{Facteur} = \frac{1}{((((1 + \text{Plus value annuelle possible})xx \text{ période de rétention}) -1)/ \text{Plus value annuelle possible})}$$

$$\text{Facteur} = \frac{1}{((((1 + i)xx\ H)-1)/i)}$$

H = Période de rétention: 5 années

Avec les données du cas Monsieur Normand, l'équation se lit comme suit:

$$\text{Facteur} \quad \frac{1}{((((1 + .08)5)-1)/.08)}$$

Facteur = .170456454567
Ainsi, P = 150 985 x .170456454567
P = 25 736 $

Q. Liquidités moyennes après impôt: 4 838 $

Pour établir ces liquidités moyennes après impôt, l'ordinateur additionne les liquidités après impôt (K) du programme PROJECTION DE RENDEMENT comme suit:

Première année :	2 140 $
Deuxième année :	3 816 $
Troisième année :	5 559 $
Quatrième année :	7 124 $
Cinquième année :	5 555 $
	24 194 $ 24 194 $/5 = 4 838 $

R. Rendement annuel : 30 574 $

Il s'agit du rendement annuel de l'actif net original de 85 000 $ que Monsieur Normand a versé au moment de l'acquisition de son immeuble. L'actif net sur une base annuelle (P) 25 736 $ + liquidités moyennes après impôt (Q) 4 838 $ = rendement annuel de 30 574 $.

S. Taux de rendement annuel : 35,96 %

Ce rendement annuel se fait au taux de 35,96 % : rendement annuel (R) 30 574 $ divisé par l'actif net original (F) 85 000 $ = 35,96 %.

B) Un exemple des programmes disponibles sur le marché

La maison HOPEM, déjà bien connue pour ses programmes informatiques de gestion de propriétés à revenus, vient de mettre sur le marché un logiciel d'analyse de rentabilité d'immeubles à revenus. En utilisant les données du cas Monsieur Normand, nous avons fait avec ce programme les mêmes analyses que celles que nous avons effectuées avec l'ordinateur de la Chambre immobilière de Montréal. Je vous renvoie à l'appendice 8 où vous pourrez constater que le logiciel HOP/SIM d'HOPEM peut servir à effectuer les mêmes analyses que celles qu'on peut faire avec EDGAR. Plus encore, le logiciel HOP/SIM peut être adapté aux besoins de son utilisateur. Par exemple, vous pouvez ajouter une rubrique à l'effet que l'analyse de rentabilité de tout immeuble que vous désirez acheter doit permettre de prélever 6 % de frais de gestion. On comprendra qu'étant donné le grand nombre d'usagers qu'il dessert, EDGAR ne peut pas être adapté à tous leurs caprices. Si vous travaillez sans l'assistance d'un agent immobilier, je pense qu'il vaut la peine de vous procurer HOP/SIM. En peu de temps, vous pourrez apprendre à le manipuler avec efficacité, et même, à l'adapter à vos besoins particuliers.

CHAPITRE X

LA PROMESSE D'ACHAT ET LES CONTRE-PROPOSITIONS

Dans mon ouvrage, *Comment réussir dans l'immobilier ou Faire de l'argent dans l'immobilier c'est... toujours possible!,* je consacre le chapitre VIII à l'offre d'achat. Je vous y réfère. Vous noterez que l'Association de l'immeuble du Québec a modifié les formules de contrat qu'elle met à la disposition de ses membres. En m'autorisant à les reproduire pour les fins de cet ouvrage, elle m'a demandé de rappeler à mes lecteurs qu'elle met ces formules de promesse d'achat et de contre-proposition à la disposition de ses membres seulement.

Il n'est donc plus question d'offre d'achat, mais de promesse d'achat. Ce changement d'appellation n'affecte en rien la substance de ce contrat. Dorénavant, j'utiliserai l'expression promesse d'achat plutôt qu'offre d'achat. Il n'est pas de mon propos de commenter les modifications apportées à ces formules.

Avant de rédiger la promesse d'achat, nous avions, Monsieur Normand et moi, préparé quelques scénarios. Évidemment, nous voulions verser le moins d'argent comptant possible. Cependant, il s'est avéré que le vendeur avait un urgent besoin d'argent comptant, car il avait un autre immeuble dont le taux d'inoccupation était de 50 %. Par ailleurs, nous ne pouvions pas trop insister sur le fait que trois appartements sur 12 étaient vacants (un taux d'inoccupation de 25 %), étant donné que Monsieur Normand avait décidé d'emménager dans cet immeuble dès qu'il l'aurait acheté. Il avait déjà loué son bungalow. Par exemple, nous aurions pu demander une garantie de revenu pour une période de trois mois. En toute honnêteté, nous ne pouvions formuler une demande à cet effet alors que Monsieur Normand allait combler les appartements vacants en y emménageant avec sa famille. Je vous signale que Monsieur Normand était très désireux de faire l'acquisition de cet immeuble. Il était, ce qu'on appelle dans le métier, un acheteur très motivé.

A) La rédaction de la promesse d'achat

Tout au long de cet exercice de rédaction de la promesse d'achat, référez-vous à l'appendice 9, **La promesse d'achat**. Remplissons ensemble cette formule de promesse d'achat. En premier lieu, nous identifions les parties en donnant les noms et les coordonnées du promettant acheteur et du promettant vendeur. L'objet du contrat peut être formulé comme suit : «Par la présente l'ACHETEUR promet d'acheter (par l'intermédiaire d'une maison de courtage si c'est le cas, sinon cette mention n'est pas nécessaire) l'immeuble ci-après décrit aux prix et aux conditions énoncés ci-dessous.»

L'immeuble est décrit sommairement en donnant l'adresse, la désignation cadastrale, les dimensions de front et de profondeur, et la superficie totale.

Dans la promesse d'achat générale, nous avons offert 380 000 $ et nous avons accompagné cette promesse d'achat d'un acompte de 3 000 $ payable au notaire du promettant acheteur en fiducie. Nous avons stipulé que les parties devront signer l'acte de vente le ou avant le 7 juillet 1990 et qu'à cette date les ajustements devraient être faits.

Sous la rubrique INCLUSIONS, nous avons ajouté deux cuisinières et deux réfrigérateurs parce que la fiche technique en fait mention. Revoyez l'appendice 4, **La fiche technique** à la fin de cet ouvrage.

À l'ANNEXE A, nous avons inscrit le numéro de la promesse d'achat générale, PA 12345. Nous insérons une clause obligeant le vendeur à garantir que les loyers, au 30 juin 1990, étaient de 58 392 $, c'est-à-dire le montant déclaré dans la fiche technique. Une telle disposition est susceptible d'inciter le vendeur à déclarer dans une contre-proposition le revenu réel de son immeuble.

Le promettant acheteur s'engage à prendre à sa charge une première hypothèque de 250 000 $ consentie au vendeur par la Banque du peuple. Cette hypothèque est avantageuse pour l'acheteur étant donné qu'elle échoit dans deux ans et qu'elle porte intérêt au taux de 12 %. À l'époque de la négociation de cette transaction, le taux courant était de 13 3/4 %. Une somme comptant de 50 000 $ est offerte au vendeur. Il reste un solde de prix de vente de 80 000 $ que l'acheteur demande au vendeur de lui consentir. L'acheteur lui offre comme garantie une hypothèque de second rang sur l'immeuble au taux d'intérêt de 9 % pendant 3 ans.

C'est à l'ANNEXE B IMMEUBLE LOCATIF que le promettant acheteur stipule ce qu'on appelle les DÉCLARATIONS ET OBLIGATIONS SUPPLÉMENTAIRES. La formule suggère une clause à l'effet que l'immeuble ne fait pas partie d'un ensemble immobilier et une clause à l'effet qu'il fait partie d'un ensemble immobilier. Il s'agit de cocher celle qui s'applique à la transaction. Comme l'immeuble en question ne fait pas partie d'un tel ensemble, nous avons coché la première clause. Voyez mon ouvrage *Comment réussir dans l'immobilier ou Faire de l'argent dans l'immobilier... c'est toujours possible!*, page 94 pour mes commentaires sur ce qu'est un ensemble immobilier.

Sous la rubrique SUBVENTIONS PARTICULIÈRES, le vendeur déclare qu'il n'a accordé à ses locataires aucun avantage particulier qui n'est pas spécifié par écrit dans les baux.

Sous le titre CONDITIONS OPTIONNELLES, il est suggéré deux clauses qu'il s'agit de cocher et de compléter pour qu'elles fassent partie intégrante de la promesse d'achat. La première stipule que la promesse d'achat est conditionnelle à ce que l'acheteur vérifie les baux présentement en vigueur et les dépenses afférentes à l'immeuble dans un délai que l'on détermine au moment de la rédaction du contrat. Nous avons fixé à cinq jours ce délai dans le cas Monsieur Normand. C'est un délai un peu court. Monsieur Normand était pressé d'emménager dans son nouvel immeuble. De plus, le vendeur s'engage à remettre à l'acheteur copie de tous les baux, des états financiers ou de la liste des dépenses concernant l'immeuble. C'est une bonne façon d'inciter le vendeur à nous déclarer dans sa contre-proposition le véritable revenu brut de l'immeuble. Comme le vendeur ne voudra pas risquer de voir échouer la transaction à la suite de l'inspection que fera l'acheteur, il profitera aussi d'une contre-proposition pour corriger, au besoin, les frais d'exploitation.

La seconde clause suggérée sous la rubrique CONDITIONS OPTIONNELLES est intitulée PROLONGATION DE BAIL ET FIXATION DE LOYER. Si la promesse d'achat se fait durant la période de renouvellement des baux, cette clause obligera le vendeur à faire parvenir les avis de renouvellement des baux de même que les augmentations de loyer. On peut même stipuler ce que devra contenir cet avis. Lisez attentivement cette clause que vous propose la formule. Monsieur Normand n'avait ni à se préoccuper de la prolongation des baux ni de la fixation des loyers lorsqu'il a fait sa promesse d'achat, car au moment où il l'a faite le vendeur s'en était déjà chargé.

On peut formuler toutes sortes de clauses. Votre agent immobilier peut avoir accès à un répertoire de clauses sur EDGAR. Il peut s'en inspirer pour répondre à vos besoins particuliers. Mais ne vous laissez pas emprisonner dans des formules. On peut les changer ou en rédiger d'autres pour satisfaire aux besoins de vos transactions.

Ainsi, Monsieur Normand s'est montré inquiet à la pensée que sa famille puisse se retrouver avec un immeuble sur les bras dans l'éventualité qu'il décède avant la conclusion de cette transaction. Pour le rassurer, j'ai ajouté cette clause:

«Advenant le décès du promettant acheteur Monsieur Normand avant la signature de l'acte de vente, cette promesse d'achat deviendra nulle et non avenue à compter de l'arrivée de cet événement.»

De plus, nous avons ajouté une clause à l'effet que cette promesse d'achat était conditionnelle à l'inspection de l'immeuble par un inspecteur choisi par le promettant acheteur.

B) La rédaction des contre-propositions

Référez-vous à l'appendice 10, **Les contre-propositions**. Le promettant vendeur a formulé une première contre-proposition comme suit:

1) Le prix de vente sera de 420 000 $.

2) Le comptant sera de 100 000 $.

3) Le taux d'intérêt sur le solde de prix de vente sera de 9, 10 et 11 % respectivement la première, la seconde et la troisième année.

4) Nous apprenons que les appartements 3, 7 et 11 seront vacants le 1er juillet 1990 et que les loyers des 9 autres appartements ont été augmentés de 10 $ par mois chacun.

Comme nous avions visité l'immeuble avant de présenter une promesse d'achat, nous savions qu'il y avait quelques appartements vacants. Le concierge avait fait visiter trois appartements à Monsieur Normand. Ces appartements vacants ne créaient pas de problème à Monsieur Normand puisqu'il avait décidé d'emménager dans cet immeuble aussitôt qu'il en deviendrait propriétaire et qu'il en occupe-rait au moins deux. Revoyez l'appendice 2, **L'entre-vue avec Monsieur Normand.** Entre la date de la lettre de Monsieur Normand se déclarant satisfait de l'inspection de l'immeuble, des revenus et des frais d'exploitation et la signature de l'acte de vente au cabinet du notaire, le concierge a loué un appar-tement en concédant un mois gratuit. Au cabinet du notaire, on s'est demandé qui était responsable de ce mois de loyer gratuit? Il m'apparaissait que c'était le vendeur qui devait assumer cette faveur. Mais pour éviter de faire avorter une transaction pour quelques centaines de dollars, Monsieur Normand m'avait confié qu'il était disposé à l'assumer entiè-rement. J'ai suggéré à Monsieur Normand de pro-poser d'en assumer la moitié, ce qui a tout de suite reçu l'accord du vendeur.

Les mois gratuits...

Je profite de cet incident pour vous signaler que ce n'est pas une bonne pratique d'offrir un ou plusieurs mois de loyer gratuit. Pour attirer des locataires, il y a d'autres moyens plus avantageux pour l'inves-tisseur. En effet, en donnant un mois ou plus gra-tuitement, vous diminuez la valeur économique de votre immeuble. On calculera le revenu du loyer sur 10 ou 11 mois plutôt que sur 12. Par ailleurs, la Régie du logement tiendra compte du revenu annuel de votre immeuble advenant qu'un de vos locataires lui demande d'établir la valeur locative de son appar-tement. Il est préférable d'offrir des primes, comme un climatiseur, un lave-vaisselle, etc. Je vous renvoie au chapitre XIII, **Quelques questions d'im-pôt**, pour les incidences fiscales qui en découlent.

5) Sur le plan des frais d'exploitation, on nous informe que le poste «concierge» passe de 1 450 $ à 960 $.

6) On nous apprend de plus que les trois chauffe-eau sont devenus la propriété du vendeur. Je vous

90

signale qu'il n'est pas question de chauffe-eau dans la fiche technique.

Monsieur Normand a fait la contre-proposition suivante :

1) Le prix de vente sera de 405 000 $.

2) Il accepte les taux d'intérêt proposés sur le solde de prix de vente.

3) Toute différence dans la somme indiquée dans ce contrat pour la première hypothèque se reflétera dans la seconde hypothèque et non dans la somme «comptant». Cette somme comptant, nous la maintenons à 50 000 $ conformément à ce que nous avons stipulé à l'ANNEXE À IMMEUBLE.

Le promettant vendeur fait une contre-proposition comme suit :

1) Le prix de vente sera de 410 000 $.

2) Le taux d'intérêt sur le solde de prix de vente sera de 9, 10 et 11 %, la première, la deuxième et la troisième année.

3) Le solde de prix de vente sera de 78 000 $ environ.

4) La signature de l'acte de vente aura lieu le ou vers le 19 juillet 1990.

5) Le comptant sera de 85 000 $.

Monsieur Normand a finalement accepté cette contre-proposition. Conformément à une disposition de la promesse d'achat, il a fait faire l'inspection de l'immeuble par un architecte. Selon le rapport de l'architecte, le toit devrait être refait d'ici à trois ans environ. Quant au reste, il n'y avait que des réparations mineures que Monsieur Normand s'est engagé à faire lui-même. Le vendeur a prétendu à juste titre qu'il vendait un immeuble qui a été construit en 1970 et que, par conséquent, l'usure du toit était normale. S'il avait fait refaire le toit, prétendait-il, il aurait demandé plus cher. Il avait raison, car l'immeuble voisin identique en tous points, était en vente au même moment. Le toit a été refait et le prix était beaucoup plus élevé que le prix que Monsieur Normand a payé pour son immeuble.

De plus, j'ai examiné pour Monsieur Normand les baux et les frais d'exploitation. Il n'y avait à ce moment rien de particulier à signaler au sujet des baux. Quant aux frais d'exploitation, certains peuvent être vérifiés d'une façon certaine comme par exemple les taxes, l'électricité, les assurances et le chauffage. Par l'intermédiaire de son courtier, le vendeur nous a remis des photocopies des factures acquittées. Comme je l'ai déjà indiqué, il est plus difficile de savoir ce qu'il en coûte en frais d'entretien. La structure de l'immeuble étant en béton, on peut prévoir qu'ils ne seront pas trop élevés.

Une fois les inspections faites, conformément à ce qui était stipulé à l'ANNEXE B IMMEUBLE sous la rubrique CONDITIONS OPTIONNELLES, j'ai rédigé une lettre dans laquelle Monsieur Normand s'est déclaré satisfait de la propriété, de ses revenus et frais d'exploitation. De plus, Monsieur Normand a déclaré que la promesse d'achat et la dernière contre-proposition liaient les parties. Lisez la lettre adressée par Monsieur Normand au vendeur à l'appendice 11.

Est-il besoin d'insister qu'il s'agit dès lors d'un contrat qui a force de loi entre les parties? Je vous signale cependant que les parties pourraient, si telle était leur volonté, apporter des changements à cette promesse d'achat. Au fait, elles peuvent le faire jusqu'au moment où elles auront signé l'acte de vente dans le cabinet du notaire. Une fois cette étape franchie, elles pourront toujours d'un commun accord faire des corrections à l'acte de vente mais, étant donné qu'elles devront verser des honoraires et payer des frais, il faudrait qu'elles aient un motif sérieux. En pratique, on remet au notaire la promesse d'achat et la contre-proposition acceptée et on se revoit à son cabinet pour la signature de l'acte de vente.

CHAPITRE XI

LES FORMALITÉS DE TRANSFERT DE LA PROPRIÉTÉ

Dans la promesse d'achat, le vendeur s'engage à fournir à l'acheteur un bon titre de propriété ainsi qu'un certificat de localisation. C'est pour cette raison qu'il transmet au notaire désigné tous les documents pertinents qu'il a en sa possession.

A) L'envoi des documents pertinents au notaire

Si l'acheteur et le vendeur sont assistés d'agents immobiliers ou de courtiers, ces derniers les aideront dans la transmission au notaire de tous les documents nécessaires à la conclusion de l'opération immobilière. Ainsi, le courtier du vendeur expédie sans délai la promesse d'achat de même que la contre-proposition pertinente. Il joint à ces documents la lettre de l'acheteur dans laquelle ce dernier se déclare satisfait de l'inspection qu'il a fait faire de l'immeuble par l'expert de son choix et de l'inspection qu'il a faite des baux et des frais d'exploitation. De son côté, le vendeur transmet au notaire les actes de vente de même que le certificat de localisation qu'il a en sa possession. Il remet aussi entre les mains du notaire l'original des baux et des polices d'assurance. Le notaire remettra tous ces documents à l'acheteur après la signature de l'acte de vente.

B) La prise en charge de l'hypothèque par l'acheteur

Dans sa promesse d'achat, Monsieur Normand s'est engagé à faire les démarches nécessaires auprès de la Banque du Peuple pour qu'elle lui transfère l'hypothèque de premier rang qui grève l'immeuble. Monsieur Normand s'est donc présenté à la Banque du Peuple pour se faire accepter comme nouveau débiteur de cette hypothèque, car une clause de l'acte d'hypothèque l'exigeait. J'avais suggéré à Monsieur Normand de dresser, avant de se présenter à la banque, la liste de tous ses biens et de ses dettes afin d'éviter tout retard dans cette opération. Je m'étais assuré au préalable de la solvabilité de Monsieur Normand. Pour moi, il ne faisait aucun doute que la banque l'accepterait comme nouveau débiteur. La banque a mis peu de temps à communiquer son acceptation à Monsieur Normand et au notaire. Le notaire s'est occupé des formalités de transfert de l'hypothèque.

C) Le transfert des assurances

Aux fins de l'examen des frais d'exploitation, le vendeur remet à l'acquéreur, notamment, une copie des comptes d'assurances acquittés. Il remet aussi à l'acheteur les polices d'assurance relatives à l'immeuble. L'acheteur doit veiller personnellement à faire transférer à son bénéfice ces polices à la date de la signature de l'acte de vente. J'ai recommandé à Monsieur Normand de continuer avec le même courtier d'assurances étant donné que les primes semblaient avantageuses. Il sera toujours temps pour lui de réévaluer cette situation et de changer de courtier s'il le juge opportun. Lisez très attentivement vos contrats d'assurance.

D) Le transfert des contrats de location d'équipement

Certaines compagnies de location d'équipement vous engagent par une clause de leur contrat à faire assumer par un acquéreur subséquent les appareils que vous avez loués. Si, par exemple, votre brûleur à l'huile et votre chauffe-eau font l'objet d'un contrat d'une durée de cinq ans, vous devrez faire approuver votre acheteur éventuel par la compagnie de location et faire assumer la période de location restante par ce dernier. Il est important de stipuler dans la promesse d'achat l'obligation pour l'acquéreur d'accepter d'assumer ces obligations. Lisez attentivement chacun de vos contrats de location d'équipement.

E) L'examen des titres

Le notaire procède à l'examen des titres de la propriété. Cet examen, il le fait au bureau d'enregistrement de la division où l'immeuble est enregistré. Il fera rapport à l'acheteur de toute anomalie qu'il pourrait déceler au cours de sa recherche. Le notaire s'assure, entre autres choses, qu'il n'y a pas de privilèges enregistrés contre l'immeuble et, au besoin, demandera au vendeur d'obtenir la renonciation à l'exercice d'un privilège par ceux qui seraient susceptibles de le faire comme les fournisseurs de matériaux, les entrepreneurs et les ouvriers.

F) Le certificat de localisation

Dans le cas Monsieur Normand, le certificat de localisation datait de 1981. Le notaire a recommandé à Monsieur Normand d'en faire confectionner un nouveau. Monsieur Normand a refusé, car il était convaincu qu'il n'y avait eu aucun changement à la propriété depuis la date du dernier certificat de localisation. Il ne croyait pas nécessaire ce déboursé additionnel étant donné qu'il construira prochainement un garage sur la propriété et qu'il faudra alors faire un nouveau certificat de localisation. Comme la promesse d'achat était muette sur ce point, l'usage veut que si le certificat de localisation récemment refait ne montre pas de changements à la propriété, c'est l'acheteur qui en assume les frais. Dans le cas contraire, c'est le vendeur qui les prend à sa charge. Le notaire a pris soin de faire signer par Monsieur Normand un document à l'effet qu'il lui avait conseillé d'obtenir un nouveau certificat de localisation et que ce dernier avait refusé et qu'il dégageait le notaire de toute responsabilité à cet égard.

G) Les ajustements

Le notaire a préparé un état des répartitions des frais d'exploitation et du service de la dette. C'est ce qu'on appelle communément faire les ajustements. Il a demandé à Monsieur Normand d'apporter un chèque visé pour la somme de 81 851,78 $ en acquittement de ce qu'il doit sur le prix de vente, déductions faites du montant des ajustements dus par le vendeur. De cette somme, le notaire a retenu la commission due aux courtiers, la somme de 15 000 $. Conformément à ce qui était stipulé dans la dernière contre-proposition, il a remis 50 % de cette somme au courtier inscripteur et 50 % au courtier vendeur.

Il est à noter que la fiche d'inscription indiquait une commission au vendeur de 2,5 %. Voyez à l'appendice 4, **La fiche technique**. Dans la dernière case à gauche du document, juste avant la ligne pointillée, vous trouverez c.v. 2,5 %, c'est-à-dire commission au vendeur. On indique par là que le courtier vendeur touchera 2,5 % du prix de vente de l'immeuble. Au moment des négociations, le courtier inscripteur m'a informé que la commission n'était plus que de 15 000 $. En cours de route, le contrat de courtage est devenu un «net listing», c'est-à-dire que le vendeur a établi son «plancher» à 395 000 $ ou le prix minimum qu'il était prêt à accepter, laissant une commission possible de 15 000 $ devant être partagée également entre le courtier inscripteur et le courtier vendeur.

Ensuite, le notaire a remis au vendeur le solde dû sur le prix de vente après vérification de l'enregistrement de l'acte de vente à l'index des immeubles. Reportez-vous à l'appendice 12, **Les ajustements**, à la fin de cet ouvrage. Voyez comment le notaire a fait la répartition entre les parties des frais d'exploitation et du service de la dette, en date du 18 juillet, date de la signature de l'acte de vente et de l'occupation de l'immeuble par l'acheteur.

À la fin des ajustements, le notaire a inséré la clause suivante :

> Les parties conviennent que si les autorités municipales ou scolaires émettent d'autres comptes pour taxes municipales ou scolaires pour toute partie de la période finissant à la date des ajustements (autres que ceux qui ont fait l'objet des ajustements ci-dessus) ou si les montants sur lesquels on s'est basé pour procéder aux dits ajustements se révèlent inexacts, les parties devront immédiatement sur simple demande de l'une ou de l'autre faire les ajustements de tels comptes et les acquitter en argent comptant.

> De plus, comme ces ajustements ont été faits à partir de renseignements obtenus de tierces personnes, les parties dégagent le notaire de toute responsabilité pour toutes les erreurs ou omissions qui s'y seraient glissées.

Cette clause est pertinente et fort utile. J'ai eu l'occasion de l'invoquer à quelques reprises. Dans un cas, le simple fait de porter ce texte à la connaissance du vendeur a suffi à le convaincre qu'il devait acquitter un compte de taxes.

CHAPITRE XII

LA GESTION DE VOTRE IMMEUBLE

A) La prise de possession de l'immeuble par l'acheteur

La prise de possession de l'immeuble par l'acheteur a lieu à la date de la signature de l'acte de vente. Pour ce qui est de l'occupation de deux logements par Monsieur Normand et sa famille, il n'était pas opportun d'en parler, car nous utilisions le taux d'inoccupation élevé comme argument dans la négociation du prix de vente. Nous aurions stipulé une date d'occupation si Monsieur Normand avait succédé à un propriétaire occupant. Comme ce n'était pas le cas, Monsieur Normand a couru le risque que ces logements soient tous loués au moment de la signature de l'acte de vente. Mais étant donné le taux d'inoccupation dans le secteur, il s'agissait d'un risque que Monsieur Normand acceptait volontiers de courir.

En vue de faciliter le passage de la propriété d'un immeuble d'un propriétaire à un autre, certains notaires préparent à l'intention de l'acquéreur une lettre qu'il fera parvenir à tous les locataires de l'immeuble qu'il vient d'acheter, les informant qu'il est le nouveau propriétaire et que c'est dorénavant à lui que les loyers doivent être payés.

L'ancien propriétaire remet au nouveau propriétaire toutes les clés, les plans de l'immeuble, les factures, les contrats d'achat des appareils qu'il a vendus avec l'immeuble, comme les climatiseurs, cuisinières, réfrigérateurs et les modes d'emploi qui les accompagnent. Le cas échéant, il remet aussi les contrats de location de laveuses, sécheuses, brûleur à l'huile, chauffe-eau, etc. Il est habituel qu'ils se donnent rendez-vous à l'immeuble dès après la signature de l'acte de vente pour faire le tour du propriétaire. C'est à cette occasion que l'ancien propriétaire confie au nouvel acquéreur les petits secrets de son immeuble. Il est aussi usuel que l'ancien propriétaire remette au nouveau une liste de ses fournisseurs de services, avec leurs coordonnées.

Votre concierge est-il un entrepreneur indépendant?

Il se peut que vous «héritiez», par la même occasion, d'un concierge. Ce concierge devient-il votre employé ou est-il un entrepreneur indépendant? S'il est un entrepreneur indépendant, vous n'aurez pas à payer la part de l'employeur au Régime de rentes du Québec et au Régime d'assurance-maladie du Québec. Vous n'aurez pas non plus à verser les primes d'assurance- chômage, les contributions à la Commission des normes du travail ou la Commission de la santé et de la sécurité du travail. Pour l'entrepreneur indépendant, il y a aussi de nombreux avantages, dont celui d'être admissible aux charges déductibles pour des fins fiscales.

Quant à savoir si le contribuable est un entrepreneur indépendant, les tribunaux ont établi quatre critères essentiels : (1) Le contrôle : existe-t-il un lien de subordination entre le propriétaire de l'immeuble et le concierge? (2) L'intégration : est-ce que la tâche du concierge fait partie intégrante de vos opérations ou est-elle purement accessoire? (3) La réalité économique : y a-t-il possibilité de profit ou risque de pertes? Un entrepreneur indépendant s'expose à réaliser des profits et des pertes. Votre concierge est-il dans cette situation? (4) Le résultat spécifique : une fois la période de location terminée, votre concierge demeure-t-il sur les lieux et continuez-vous d'avoir avec lui une relation continue?

Le concierge est votre employé!

Selon moi, le concierge est votre employé et vous êtes par conséquent obligé de retenir toutes les déductions imposées par les différentes lois. Par ailleurs, on sait qu'il est plus difficile de trouver un concierge qui voudra se soumettre à ce régime, car il devra déclarer son revenu, c'est-à-dire l'équivalent d'un loyer ou une fraction. Il est bien connu qu'on préfère travailler au noir. Il y aurait la possibilité que votre concierge constitue une compagnie, mais il est coûteux de créer et de maintenir une compagnie. Pour que cela soit justifié, il faudrait qu'il soit concierge de plusieurs immeubles.

En tant que petit investisseur, vous pourriez retenir les services d'une compagnie spécialisée dans les services de «conciergerie», mais il est tellement plus facile d'avoir quelqu'un sur place et sous votre autorité. Heureusement que les pouvoirs publics ne s'intéressent pas trop à cette situation, car plusieurs propriétaires d'immeubles locatifs pourraient avoir des problèmes. Pensons seulement aux nombreuses pénalités qui peuvent pleuvoir sur vous advenant que votre concierge soit victime d'un accident de travail. On pourra même enregistrer un privilège sur votre immeuble pour toute somme que vous devrez en vertu de la **Loi sur les accidents du travail et maladies professionnelles**. Je n'ai qu'un conseil à formuler sur cette question. Il est toujours plus avantageux de se conformer en tous points aux dispositions de la loi. En payant plus cher les services d'un concierge, vous pourrez trouver quelqu'un de plus compétent et qui acceptera de se conformer aux exigences de la loi. Par ailleurs, la rémunération que vous lui verserez pourra s'ajouter aux frais d'exploitation de l'immeuble, et sera déductible pour fins fiscales.

Rappelez-vous que dans la promesse d'achat, Monsieur Normand s'est engagé à respecter les baux en vigueur au moment où il prendrait possession de son immeuble. Ces baux, il les a inspectés et s'en est déclaré satisfait, avons-nous vu. Dès lors, la gestion des baux devient une activité très importante pour Monsieur Normand. La loi lui impose une foule d'obligations comme propriétaire et comme locateur. Leur étude déborderait le cadre de cet ouvrage. Signalons cependant que la loi impose à Monsieur Normand l'obligation de tenir des registres.

B) La tenue des livres

Référez-vous au *Guide d'impôt-Revenus de location* mis à la disposition des contribuables par Revenu Canada impôt. On ne dit pas comment doivent se tenir ces livres. On vous informe cependant dans ce guide que vous devez tenir des registres détaillés de toutes les sommes perçues et versées. Tous les frais d'exploitation doivent être justifiés par des pièces justificatives. Ce sont les factures, les reçus, les contrats ou tous autres documents pertinents qui constituent ces pièces. Elles n'ont pas à être annexées à votre déclaration de revenu, mais vous devez les conserver à votre bureau de location ou à votre résidence afin de pouvoir les produire sur demande pour examen. À défaut de pouvoir justifier vos dépenses au moyen de documents pertinents, la déduction de la totalité ou d'une partie de vos dépenses pourrait vous être refusée. La circulaire d'information 78-1OR2 donne plus de renseignements sur la tenue de registres, notamment, sur la conservation et la destruction des livres et des registres.

C) L'informatisation de la tenue des livres

Le fisc accepte la tenue informatisée de registres. Le contribuable a les mêmes obligations quant à la conservation des pièces justificatives. Je vous réfère à mon ouvrage *Comment réussir dans l'immobilier ou Faire de l'argent dans l'immobilier... c'est toujours possible!* au chapitre XI, **Gérer votre investissement**, pour l'informatisation de la gestion de votre immeuble.

À ce stade-ci, Monsieur Normand refait tous ses calculs. Plus particulièrement, il fait des prévisions de ce que seront, au cours de la prochaine année, les frais d'exploitation de son immeuble. Monsieur Normand est bien conscient qu'il vient d'acquérir une petite entreprise et qu'une saine gestion lui assurera la rentabilité maximale de son investissement.

CHAPITRE XIII

QUELQUES QUESTIONS D'IMPÔT

En analysant les frais d'exploitation, vous avez pris conscience des nombreuses charges qu'un immeuble à revenus occasionne au cours d'une seule année. Il est heureux qu'elles soient déductibles du revenu des loyers de l'immeuble.

Je vous réfère au *Guide d'impôt-Revenus de location* présenté par Revenu Canada impôt dont une lecture attentive répondra à la plupart de vos questions. Si des questions particulières se posent, je vous suggère de demander conseil à votre fiscaliste.

Quant à savoir si vous touchez ou non un revenu d'entreprise ou un revenu de location, je vous réfère à mon ouvrage *Comment réussir dans l'immobilier ou Faire de l'argent dans l'immobilier ... c'est toujours possible!*, chapitre VI, **Le vendeur impayé et le FISC**, et chapitre XII, **Votre immeuble et le FISC**, dans lesquels je fais, notamment, l'étude de cette question. Nous présumons ici que Monsieur Normand touche des revenus de location.

A) L'imposition du revenu de location

Le revenu de location de Monsieur Normand comprend le montant des loyers qu'il touche pour chacun des appartements loués de son immeuble. Si Monsieur Normand fournit le logement gratuit en tout ou en partie à son concierge, il doit ajouter à son revenu de location ce loyer ou cette fraction de loyer.

Il est à noter que la taxe sur les biens et services (TPS) ne frappe pas les loyers résidentiels à long terme. Ce service fait partie des services exonérés. Par contre, aucun crédit ou aucun remboursement n'est accordé pour la TPS payée sur les achats effectués en vue de fournir ce service exonéré.

B) La déduction des dépenses ou frais d'exploitation

On peut dire qu'en règle générale, tous les frais nécessaires pour gagner un revenu de location sont déductibles pour fins fiscales. Ces frais sont les taxes foncières et autres, ceux de la réparation et de l'entretien de l'immeuble et du terrain.

Pour ce qui est des frais de réparation, on doit se demander s'il s'agit de frais d'exploitation normaux déductibles dans l'année en cours ou s'il s'agit de frais qui doivent être capitalisés en les ajoutant au coût en capital de l'immeuble. Si, par exemple, vous refaites le toit de l'immeuble, il s'agit d'une amélioration que le fisc fédéral vous permettra d'amortir sur un certain nombre d'années.

Au Québec, vous pourrez réclamer la dépense au cours de l'année d'imposition où elle a été faite. En effet, à la suite d'une décision de la Cour d'appel du Québec, Revenu Québec a révisé son interprétation de cette question. Voyez le Bulletin d'interprétation IMP. 128-4/R1. La Cour d'appel a décidé que: «Aussi longtemps qu'on ne crée pas un bien capital nouveau, qu'on n'accroît pas la valeur capitale normale du bien et qu'on ne remplace pas un bien disparu par un autre, il s'agit de réparation et d'entretien tendant à ramener le capital à sa valeur précisément normale». Le mot «bien», précise la Cour d'appel, désigne un bien complet par lui-même et non ses composantes: «En l'espèce, les balcons, la tuyauterie, les fenêtres et les portes tant décrépits qu'ils fussent lorsqu'il fallut les remplacer, ne constituent pas (...) le bien capital mais uniquement de ses composantes intégrantes à telle enseigne que de les remplacer n'est pas remplacer le bien capital lui-même mais simplement le réparer.» Ainsi, il est essentiel de savoir si la dépense a eu pour effet d'accroître la valeur normale du bien, de remplacer un bien disparu, de créer un bien nouveau ou de ramener le bien à sa valeur normale, c'est-à-dire à celle qu'aurait ce bien s'il était en très bon état. Comme ce jugement a été rendu par une cour du Québec, il ne lie pas le fisc fédéral.

Prenez note que les intérêts que vous versez sur l'emprunt que vous avez effectué pour acheter l'immeuble et le terrain sont aussi déductibles. Sont aussi défalquables du revenu de location, les assurances, les frais d'éclairage et de chauffage, les salaires payés aux préposés à l'entretien ou à la surveillance de l'immeuble. De plus, les frais de comptabilité et les frais légaux, les commissions payées pour trouver des locataires ou pour le recouvrement des loyers, certains frais d'automobile et l'allocation du coût en capital font partie des déductions permises. Il est à noter, cependant, que certains frais encourus au moment de l'acquisition de l'immeuble tels que les honoraires versés au notaire, les droits de mutation, etc. s'ajoutent au coût de l'immeuble et on en tiendra compte au moment de la revente ou de la disposition en établissant le prix de base rajusté (PBR).

C) La déduction pour amortissement (DPA)

Il n'est pas de mon propos d'exposer toutes les règles qui se rapportent à la déduction pour amortissement des immeubles. Ainsi, je n'indiquerai que celles qui sont applicables au cas à l'étude.

Le montant de dépréciation pour amortissement que vous pouvez réclamer dépend de la catégorie dans laquelle se situe votre immeuble à revenus. Prenons pour exemple l'immeuble récemment acquis par Monsieur Normand. Tant qu'il a été la propriété du propriétaire vendeur, il apparte- nait à la catégorie 3 et était admissible au taux de déprécia- tion de 5 % parce qu'il avait été acheté avant 1987. Comme Monsieur Normand a acheté son immeuble en 1990, celui- ci se classe maintenant dans la catégorie 1 depuis la réforme fiscale de 1987 et est admissible à un taux de dépréciation de 4 %. Je vous rappelle que la loi ne permet, au cours de la première année, qu'une déduction de 50 % du taux prévu de la catégorie à laquelle appartient votre immeuble. Par conséquent, Monsieur Normand ne pourrait réclamer au cours de cette année que 2 % de dépréciation pour amor- tissement. Une fois la première déduction effectuée, la déduction pour amortissement est pour les années subsé- quentes basée sur la fraction non amortie du coût en capi- tal (FNACC).

La déduction annuelle que le contribuable réclame pour amortissement s'appelle l'allocation du coût en capi- tal. Au moment de revendre son immeuble, Monsieur Nor- mand devra ajouter à son prix de revente la somme des déductions annuelles qu'il aura réclamée; ce qu'on appelle la récupération d'amortissement. Pour éviter la récupéra- tion au moment de la revente de l'immeuble, Monsieur Nor- mand pourra, avant la fin de l'année d'imposition, acheter un autre immeuble de la même catégorie à un prix au moins égal à la récupération d'amortissement. Dans le cas con- traire, il devra ajouter la récupération au prix de revente de son immeuble et acquitter l'impôt sur la récupération à son taux d'imposition personnel de même que 75 % du gain en capital qu'il réalisera. Pour ce qui est du gain en capital, il pourra faire valoir son exemption à vie de 100 000 $ à moins qu'entre-temps il l'ait utilisée.

Je vous rappelle qu'advenant que Monsieur Normand revende son immeuble avant la fin d'une année d'imposi- tion, c'est-à-dire avant le 31 décembre, il n'aura droit à aucune déduction pour amortissement pour cette année même s'il a touché des revenus de location.

Offrez des appareils plutôt que des mois gratuits. Je vous ai déjà suggéré d'offrir des appareils, comme des climatiseurs, des lave-vaisselle, au lieu de mois gratuits. Ces appareils donneront une plus-value à votre immeuble et vous permettront de réclamer la déduction pour amortissement. Ils tombent dans la catégorie 8 et sont amortissables au taux de 20 %. La règle de 50 % s'applique aussi à cette catégorie. Ainsi, vous ne pourrez pas réclamer plus que 50 % de 20 % la première année. Je vous rappelle aussi que vous ne pourrez ni créer ni augmenter une perte locative avec cette déduction pour amortissement.

Par ailleurs, si vous louez des appareils d'une maison spécialisée dans la location d'équipement, comme des lave-vaisselle, des réfrigérateurs, des climatiseurs, des fours à micro-ondes et même votre brûleur à l'huile, votre chauffe-eau et votre fournaise, vous pourrez déduire les frais de location comme dépenses d'exploitation et même, créer une perte que vous pourrez déduire de votre revenu d'autres sources. Comme il s'agit d'une perte autre qu'en capital, pour utiliser le jargon des gens du fisc, et advenant qu'il ne vous soit pas possible de la déduire de votre revenu d'autres sources, au cours d'une année, elle peut être déduite de votre revenu d'autres sources pour les trois années antérieures et pour les sept années subséquentes. Si elle n'est pas absorbée dans ce délai, elle ne pourra plus être déduite.

À l'occasion de l'étude des programmes informatiques de la Chambre immobilière du Montréal métropolitain, à la question «Catégorie 31 ou 32», je vous ai renvoyé à ce chapitre pour quelques notes sur ces immeubles. On entend par immeuble résidentiel à logements multiples, un immeuble situé au Canada, comportant au moins deux logements, constituant un lieu de résidence stable pour ses occupants et pour lequel la Société canadienne d'hypothèques et de logement a délivré une attestation de conformité à ce type d'immeuble. Les immeubles résidentiels à logements multiples qui sont achetés après le 17 juin 1987 ne sont pas admissibles comme biens de la catégorie 31, sauf s'ils ont été acquis selon une entente contractée par écrit avant le 18 juin 1987 ou un prospectus a été émis avant le 18 juin 1987. De plus, le législateur a prévu leur disparition dès 1994.

La déduction pour amortissement pour la catégorie 31 est de 5 %. Elle est de 10 % pour les immeubles de la catégories 32. Contrairement aux autres catégories de biens amortissables, comme propriétaire d'un immeuble de la catégorie 31 et de la catégorie 32, vous pouvez créer ou augmenter une perte locative en réclamant une déduction pour amortissement pour ces immeubles, pour leur mobilier, leurs appareils et leurs installations fixes. Vous pouvez aussi déduire cette perte locative de vos revenus d'autres sources. Voyez le *Guide d'impôt-Revenus de location* de Revenu Canada impôts dans lequel on explique dans un langage simple le mécanisme de la déduction pour amortissement. On y propose pour fin d'illustration des exemples concrets.

CONCLUSION

Une fois que vous avez acquis la certitude que l'immeuble que vous désirez acheter comporte toutes les qualités d'un bon investissement, la méthode la plus sûre d'en établir la valeur marchande, c'est de bien analyser ses revenus et ses frais d'exploitation. Ce faisant, vous pourrez constater, par exemple, si ces frais sont le reflet d'une saine gestion. Dans le cas contraire, il s'agit là d'un potentiel pour l'immeuble dont vous pourrez profiter en effectuant le redressement approprié dès que vous en deviendrez propriétaire.

Ce qui importe avant tout, c'est de vous assurer que, lorsque vous aurez acquitté tous les frais d'exploitation, il vous restera assez d'argent pour faire vos paiements mensuels à votre créancier hypothécaire et à votre vendeur s'il vous a consenti un solde de prix de vente.

Si vous versez, par exemple, 50 000 $ comptant, vous voulez tout naturellement que cet investissement rapporte. Pour déterminer si, oui ou non, votre mise de fonds produit des fruits, vous calculez votre revenu net avant impôts une fois payées toutes les charges inhérentes à votre immeuble. Disons qu'il vous reste 5 000 $. Votre mise de fonds vous donne donc un rendement de 10 %. Mais le calcul du taux de rendement est un peu plus complexe que cela. En effet, notre exemple ne tient pas compte du remboursement du capital sur vos hypothèques et des avantages fiscaux que vous obtenez en défalquant de vos revenus personnels vos pertes locatives.

Il ne tient pas compte non plus de votre situation fiscale personnelle. Selon quel mode détenez-vous votre immeuble? Le détenez-vous à titre individuel ou par le truchement d'une compagnie?

Vous devez voir s'il y a avantage pour vous de déduire de votre revenu personnel les pertes locatives de votre immeuble ou de réclamer de l'amortissement sur votre immeuble à revenus. Ce sont là quelques- unes des questions que vous devez vous poser au moment de l'acquisition d'un immeuble à revenus.

Cependant, si vous avez épuisé votre exemption fiscale de 100 000 $, vous n'êtes pas soumis au régime de la Perte nette cumulative sur placements (PNCP) et, par conséquent, vous avez avantage à déduire de vos revenus personnels vos pertes locatives. Dès que votre immeuble générera des revenus, achetez-en un autre. Les pertes locatives de cet immeuble compenseront pour les profits que vous réaliserez avec l'autre. Si les pertes sont supérieures à vos revenus locatifs, vous pourrez les déduire de votre revenu personnel imposable. Si vous n'avez pas encore utilisé votre exemption de 100 000 $, ne la laissez pas vous paralyser dans vos activités d'investisseur immobilier. Utilisez-la au plus tôt ou bouffez-la en tout ou en partie par le compte de PNCP. Il vaut mieux consacrer toute son énergie à faire des profits qu'à faire des économies. Et cela s'applique à l'impôt également. Il faut, bien sûr, prendre tous les moyens légaux pour payer le moins d'impôts possible, mais cela ne doit pas nous inhiber dans nos transactions immobilières. Il se peut aussi qu'il devienne avantageux de constituer une compagnie. Votre conseiller fiscal saura vous en informer à l'occasion de l'étude qu'il fera de votre situation fiscale.

Vous le savez maintenant, l'achat ou la revente de votre immeuble résidentiel à revenus n'a plus de mystère. En effet, en exposant tous les rouages d'une transaction immobilière, nous l'avons démystifiée. Aussi, vous êtes confiant que vous pouvez dès maintenant vous attaquer seul à l'immobilier. Allez-y! Plusieurs réussissent. Pourquoi pas vous!

Vous pouvez aussi avoir recours aux services d'un agent immobilier. À ce titre, il peut avoir accès à tous les services de la Chambre immobilière du Montréal métropolitain, notamment à EDGAR. Il pourra, comme nous l'avons vu, faire en un tournemain l'analyse de la rentabilité de l'immeuble que vous désirez acheter. Il pourra aussi vous aider à revendre votre immeuble. Vous constaterez en les essayant que les services d'un professionnel compétent valent leur pesant d'or.

Si vous désirez consulter l'auteur de cet ouvrage, vous pouvez écrire ou téléphoner à :

Me Clément Fortin, avocat
6190, croissant Wilderton, bureau 5
Montréal (Québec)
H3S 2M6

Téléphone : (514) 341-2625
(514) 276-1116
(514) 227-5044

TABLE DES MATIÈRES

Étude de cas, Monsieur Normand

APPENDICE 1

LES OBJECTIFS DU SÉMINAIRE

À la fin de ce séminaire d'une journée, vous serez capable de :

Faire la recherche d'un immeuble résidentiel à revenus;

Appliquer les critères pertinents dans votre recherche d'un immeuble à revenus : l'emplacement, l'apparence, la qualité des locataires et du voisinage;

Déterminer quel prix vous devez payer l'immeuble que vous avez retenu au cours de votre recherche ou quel prix vous devez revendre votre immeuble;

Rédiger la promesse d'achat et les contre-propositions nécessaires à l'acquisition de cet immeuble ou les contre-propositions en vue de la revente de votre immeuble;

Mener les négociations nécessaires à l'acquisition de l'immeuble que vous avez choisi ou à la revente de votre immeuble;

Faire les démarches nécessaires à l'acquisition de cet immeuble ou à la revente de votre immeuble;

Prendre en charge la gestion de votre immeuble.

PREMIER OBJECTIF
Faire la recherche d'un immeuble résidentiel à revenus.

Sous-objectifs :

Établir le genre d'investissement que vous désirez faire comme, par exemple, immeubles à problèmes, immeubles de qualité dans des secteurs de choix, etc.;

Effectuer la recherche seul ou assisté d'un courtier, agent ou conseiller en investissement immobilier;

Effectuer la recherche seul :

a) Dépouiller les journaux : les quotidiens, les hebdomadaires spécialisés et de quartiers;

b) Communiquer avec les propriétaires qui vendent leurs immeubles sans intermédiaire;

c) Consulter les annonces de ventes en justice, etc.

Effectuer la recherche assisté d'un courtier, agent ou conseiller en investissement immobilier:

a) Rechercher avec votre courtier, agent ou conseiller les immeubles inscrits au SIM/MLS et ceux qui font l'objet d'un contrat de courtage «ouvert» auprès des courtiers spécialisés en immeubles à revenus;

b) Comparer les immeubles qui ont retenu votre attention à ceux qui ont fait l'objet d'une transaction récente;

c) Consulter les contrats de courtage immobilier «expirés» dans le secteur où se trouvent les immeubles qui ont retenu votre attention;

d) Analyser le marché à l'aide de l'ordinateur de la Chambre immobilière de Montréal;

e) Accéder par ordinateur aux rôles d'évaluation des municipalités de l'île de Montréal pour y recueillir les renseignements pertinents à vos transactions immobilières;

f) Accéder à l'index des immeubles du bureau d'enregistrement pour y puiser les renseignements pertinents à vos transactions immobilières;

g) Utiliser le service des mutations offert sur l'ordinateur de la Chambre immobilière de Montréal pour fins de comparaison de vos transactions immobilières.

ACTIVITÉS PÉDAGOGIQUES

Lecture: Fortin, Clément, *COMMENT RÉUSSIR DANS L'IMMOBILIER OU FAIRE DE L'ARGENT DANS L'IMMOBILIER... C'EST TOUJOURS POSSIBLE!* Éditions Yvon Blais Inc. Cowansville (Québec) 1989, chapitre II, **Comment faire la recherche d'un immeuble**, pages 11 à 16, chapitre VII, **Le bureau d'enregistrement est une source précieuse de ren-**

seignements, pages 63 à 67 et Fortin, Clément, *COMMENT ACHETER OU REVENDRE VOTRE IMMEUBLE RESIDENTIEL À REVENUS : UNE TRANSACTION IMMOBILIÈRE DÉMYSTIFIÉE*, chapitre II, **La recherche d'un immeuble à revenus**, Wilson & Lafleur Ltée et les Éditions Quebecor, Montréal 1991.

Étude de cas (Monsieur Normand)

DEUXIÈME OBJECTIF

Appliquer les critères pertinents dans votre recherche d'un immeuble à revenus.

Sous-objectifs :

a) Établir la valeur de l'emplacement de l'immeuble;

b) Identifier les améliorations qui pourraient être apportées à un immeuble, notamment, en ce qui a trait à son apparence;

c) Choisir un immeuble en tenant compte de la qualité des locataires et du voisinage.

ACTIVITÉS PÉDAGOGIQUES

Lecture : *COMMENT ACHETER OU REVENDRE VOTRE IMMEUBLE RÉSIDENTIEL À REVENUS : UNE TRANSACTION IMMOBILIÈRE DÉMYSTIFIÈE*, chapitre III, **L'achat d'un immeuble à revenus : selon quels critères?**

Étude de cas (suite)

TROISIÈME OBJECTIF

Déterminer quel prix vous devez payer l'immeuble qui a retenu votre attention au cours de votre recherche ou quel prix vous devez vendre votre immeuble.

Sous-objectifs :

a) Faire l'analyse financière de l'immeuble que vous avez choisi ou de l'immeuble que vous désirez revendre;

b) Calculer le rendement de l'immeuble à revenus, faire la projection de rendement sur cinq ans et faire la projection de rendement à la revente à l'aide de l'ordinateur de la Chambre immobilière de Montréal;

c) Appliquer les méthodes empiriques utilisées par les investisseurs immobiliers dans l'établissement de la valeur d'un immeuble;

1) le multiplicateur du revenu brut;

2) le prix de l'appartement ou de la porte;

3) le multiplicateur du revenu d'exploitation ou taux de capitalisation;

4) le plus grand nombre d'appartements;

5) l'attribution d'un pourcentage aux frais d'exploitation;

6) le taux de rendement de l'équité (cash-on-cash return);

7) les principaux ratios d'analyse financière.

d) Évaluer l'immeuble avec l'assistance d'un évaluateur expert qui appliquera les méthodes d'évaluation suivantes :

1) la méthode de l'analyse du marché ou la technique de parité;

2) la technique du coût;

3) l'évaluation de la valeur marchande par l'application de la technique du revenu en utilisant la méthode de capitalisation hypothèque/mise de fonds.

ACTIVITÉS PÉDAGOGIQUES

Lecture : *COMMENT RÉUSSIR DANS L'IMMOBILIER OU FAIRE DE L'ARGENT DANS L'IMMOBILIER... C'EST TOU-*

JOURS POSSIBLE! chapitre IV, **Quel prix payer un immeuble?**, pages 21 à 36 et *COMMENT ACHETER OU REVENDRE VOTRE IMMEUBLE RÉSIDENTIEL À REVENUS : UNE TRANSACTION IMMOBILIÈRE DÉMYSTIFIÉE*, chapitre VI, **Les diverses méthodes empiriques pour établir la valeur d'un immeuble à revenus**, chapitre VII, **Les principaux ratios utilisés pour analyser un investissement immobilier** et chapitre VIII, **Les méthodes utilisées par les évaluateurs pour évaluer un immeuble à revenus.**

Étude de cas (suite)

ÉVALUATION FORMATIVE

Le participant est invité à répondre à une liste de questions portant sur les trois premiers objectifs.

QUATRIÈME OBJECTIF

Rédiger la promesse d'achat et les contre-propositions nécessaires à l'acquisition de cet immeuble ou les contre-propositions en vue de la revente de votre immeuble.

Sous-objectifs :

a) Identifier avec précision les parties, noms et coordonnées du promettant acheteur et du promettant vendeur;

b) Indiquer l'objet de la promesse de vente, à savoir l'immeuble que vous désirez acquérir;

c) Décrire sommairement l'immeuble;

d) Établir avec précision le prix d'achat offert ainsi que l'acompte qui accompagnera la promesse d'achat;

e) Préciser à quelle date l'acte de vente sera exécuté et à compter de quelle date les ajustements seront faits;

f) Indiquer la date d'occupation des lieux, le cas échéant;

g) Articuler avec précision le mode de paiement : l'acompte, la somme additionnelle, la prise en charge des obligations hypothécaires existantes et le solde du prix de vente ;

h) Solliciter au besoin un nouvel emprunt hypothécaire ;

i) Rédiger des clauses prévoyant, notamment, que la promesse est conditionnelle à l'inspection de l'immeuble et à la vérification des baux et des frais d'exploitation.

ACTIVITÉS PÉDAGOGIQUES

Lecture : *COMMENT RÉUSSIR DANS L'IMMOBILIER OU FAIRE DE L'ARGENT DANS L'IMMOBILIER... C'EST TOUJOURS POSSIBLE!*, chapitres V, **Le solde de prix de vente : une source importante de financement**, pages 37 à 50, chapitre VI, **Le vendeur impayé et le FISC**, pages 51 à 61 et chapitre VIII, **L'offre : ses nombreux pièges**, pages 69 à 100 et *COMMENT ACHETER OU REVENDRE VOTRE IMMEUBLE RÉSIDENTIEL À REVENUS : UNE TRANSACTION IMMOBILIÈRE DÉMYSTIFIÉE*, chapitre X, **La promesse d'achat et les contre-propositions**.

Étude de cas (suite)

CINQUIÈME OBJECTIF

Mener les négociations nécessaires à l'acquisition de l'immeuble que vous avez choisi ou à la revente de votre immeuble.

Sous-objectifs :

a) Prendre rendez-vous avec le propriétaire vendeur ;

b) Présenter votre promesse d'achat ;

c) Prévoir des scénarios de repli pour des fins de contre-propositions ;

d) Faire valoir les intérêts des parties au cours des négociations plutôt que s'accrocher à des positions.

ACTIVITÉS PÉDAGOGIQUES

Lecture : Fisher, Roger, Ury, William *COMMENT RÉUSSIR UNE NÉGOCIATION*, Éditions du Seuil, Paris, 1982 et *COMMENT RÉUSSIR DANS L'IMMOBILIER OU FAIRE DE L'ARGENT DANS L'IMMOBILIER... C'EST TOUJOURS POSSIBLE!*, chapitre III, **Comment négocier l'achat d'un immeuble?**, pages 17 à 20.

Étude de cas (suite)

SIXIÈME OBJECTIF

Faire les démarches nécessaires à l'acquisition de l'immeuble que vous avez choisi ou à la revente de votre immeuble.

Sous-objectifs :

a) Procéder avec diligence aux inspections prévues dans la promesse d'achat;

b) Confirmer par écrit votre satisfaction dans les délais prévus dans la promesse d'achat;

c) Retenir les services d'un notaire diligent;

d) Expédier sans délai au notaire tous les titres de la propriété;

e) Garantir ou faire garantir dans l'acte de vente le revenu brut de l'immeuble;

f) Faire transférer à votre bénéfice les polices d'assurance sur l'immeuble en temps opportun;

g) Voir à ce que rien ne traîne dans le «traitement» des formalités de transfert.

ACTIVITÉS PÉDAGOGIQUES

Lecture : *COMMENT RÉUSSIR DANS L'IMMOBILIER OU FAIRE DE L'ARGENT DANS L'IMMOBILIER... C'EST TOU-*

JOURS POSSIBLE!, relire le chapitre VIII, **L'offre : ses nombreux pièges** et *COMMENT ACHETER OU REVENDRE VOTRE IMMEUBLE RÉSIDENTIEL À REVENUS : UNE TRANSACTION IMMOBILIÈRE DÉMYSTIFIÉE*, chapitre X, **Les formalités de transfert de la propriété.**

Étude de cas (suite)

SEPTIÈME OBJECTIF

Prendre en charge la gestion de votre immeuble.

Sous-objectifs :

a) Aviser les locataires en personne ou par écrit que vous êtes le nouveau propriétaire en leur expliquant par la même occasion comment vous entendez procéder à l'avenir;

b) Définir, s'il y a lieu, les tâches du concierge;

c) Faire vos prévisions budgétaires;

d) Établir un système de comptabilité;

e) Maintenir de bonnes relations avec les anciens fournisseurs jusqu'au moment où vous aurez trouvé des remplaçants;

f) Analyser vos frais d'exploitation;

g) Optimiser le rendement de votre immeuble.

ACTIVITÉS PÉDAGOGIQUES

Lecture : *COMMENT RÉUSSIR DANS L'IMMOBILIER OU FAIRE DE L'ARGENT DANS L'IMMOBILIER... C'EST TOUJOURS POSSIBLE!*, chapitre XI, **Gérer votre investissement** et chapitre XII, **Votre immeuble et le fisc** et *COMMENT ACHETER OU REVENDRE VOTRE IMMEUBLE RÉSIDENTIEL À REVENUS : UNE TRANSACTION IMMOBILIÈRE DÉMYSTIFIÉE*, chapitre XII, **La gestion de votre immeuble** et chapitre XIII, **Quelques questions d'impôts.**

Étude de cas (fin)

ÉVALUATION SOMMATIVE

En partant d'un cas qui lui est soumis, le participant doit préparer la fiche technique d'un immeuble résidentiel à revenus. Il doit en analyser la rentabilité et en établir la valeur marchande.

APPENDICE 2

L'ENTREVUE AVEC MONSIEUR NORMAND POUR ÉTABLIR LES PARAMÈTRES DE L'INVESTISSEMENT QU'IL DÉSIRE FAIRE

ÉTUDE DE CAS, MONSIEUR NORMAND

Après avoir lu mon ouvrage sur l'immobilier, Monsieur Normand m'appelle et sollicite une entrevue avec moi. Je reçois Monsieur Normand à mon cabinet et nous convenons de travailler ensemble.

Monsieur Normand a 60 ans. Il fait de l'entretien ménager sur une base contractuelle pour le compte d'une institution financière. De plus, il touche des revenus mensuels provenant d'un solde de prix de vente d'un commerce qu'il a vendu il y a quelques années. On lui versera une mensualité pendant encore 10 ans. Il n'a plus d'enfants à sa charge. Son épouse travaille. Le bungalow qu'il habite est libre d'hypothèque.

Il désire faire l'acquisition d'un immeuble afin d'assurer sa retraite dans 5 ans, à l'âge de 65 ans. Il est angoissé d'avoir, chaque année, à soumissionner pour obtenir le renouvellement de son contrat d'entretien. Il recherche une affaire plus stable. Dans le passé, il a fait quelques opérations immobilières qui ont été fructueuses. Il est déjà convaincu des avantages que procure l'investissement immobilier.

Voici les paramètres que nous établissons :

Secteurs recherchés : Saint-Lambert ou Longueuil.

Comptant pouvant être versé : de 75 000 $ à 125 000 $.

Type d'immeuble recherché : 16 logements et plus en béton de préférence et ne comprenant pas d'établissements commerciaux au rez-de-chaussée.

Situation fiscale de Monsieur Normand : taux d'imposition d'environ 40 % et n'a pas utilisé son exemption personnelle de 100 000 $.

Contraintes particulières : Monsieur Normand désire occuper au moins deux appartements de l'immeuble avec son épouse et l'une de ses filles. Il désire un immeuble construit sur un terrain assez grand. Dans l'immeuble recherché, il aimerait disposer d'un espace assez grand pour ranger tous ses outils de bricoleur et avoir la possibilité d'y construire une remise.

APPENDICE 3

RECHERCHE D'UN IMMEUBLE : SORTIES D'ORDINATEUR

1. Propriétés à Vendre ou à Louer.
2. Propriétés Spécifiques.
3. Propriétés Comparables.
4. Propriétés Expirées.
5. Propriétés Vendues.

Entrez Votre Option?

ALT-F10   HELP | VT-100 | FDX | 1200 N71 | LOG CLOSED | PRT OFF | CR | CR

RECHERCHE DE PROPRIÉTÉS À VENDRE OU À LOUER.

Zone   : 4   Rive Sud

Sous-type : 3	1.	2 à 5 logements
District(s) Type : 1	2.	6 à 12 logements
	*3.	13 à 24 logements
5600 LONGUEUI *1. Propriété à Revenus.	4.	25 à 48 logements
2. Bâtisse/Terrain/Esp. Industriel.	5.	49 à 100 logements
3. Bâtisse/Terrain Commercial.	6.	101 et plus (+)
4. Location d'Espace Commercial.		
5. Commerce.		
6. Propriété Agricole.		

Vente/Location : V

Prix Minimum :
Prix Maximum :

13 propriété(s) sélectionnée(s)

ALT-F10   HELP | VT-100 | FDX | 1200 N71 | LOG CLOSED | PRT OFF | CR | CR

Données en Date du 22/10/90   AFFICHAGE PARTIEL   Page :   1

I ST	No MLS	Type	S-Type	———Adresse———	District	——Prix——
1 T EV	901961	REV	16	BREBEUF	LONGUEUI	595,000
2 T EV	897439	REV	16	CHAMBLY CH	LONGUEUI	1,380,000
3 T EV	902544	REV	16	COULOMBE	LONGUEUI	785,000
4 T EV	902546	REV	16	JEAN PAUL VINCENT	LONGUEUI	395,000
5 T EV	902545	REV	16	JEAN PAUL VINCENT	LONGUEUI	395,000
6 T EV	898383	REV	16	LAURIER	LONGUEUI	640,000
7 T EV	898498	REV	23	LAVALLÉE	LONGUEUI	1,150,000
8 T EV	900051	REV	24	LEMOYNE	LONGUEUI	849,000
9 T EV	901341	REV	16	PERIGNY	LONGUEUI	650,000
10 T EV	901876	REV	24	TALBOT	LONGUEUI	859,000
11 T EV	899932	REV	16	TERR MAZENOD	LONGUEUI	570,000
12 T EV	898711	REV	18	TERR TURGEON	LONGUEUI	975,000
13 T EV	900757	REV	16	VILLENEUVE	LONGUEUI	785,000

Entrez le No de ligne ou No MLS :

0 propriété(s) sélectionnée(s)

ALT-F10   HELP | VT-100 | FDX | 1200 N71 | LOG CLOSED | PRT OFF | CR | CR

Données en Date du 22/10/90   AFFICHAGE PARTIEL   Page :   1

I ST	No MLS	Type	S-Type	———Adresse———	District	——Prix——
1 T EX	896103	REV	16	BRODEUR	LONGUEUI	575,000
2 T EX	898314	REV	24	LAVALLÉE	LONGUEUI	850,000
3 T EX	895126	REV	24	LAVALLÉE	LONGUEUI	870,000
4 T EX	898026	REV	24	LEMOYNE	LONGUEUI	870,000
5 T EX	898053	REV	24	LEMOYNE	LONGUEUI	870,000
6 T EX	897865	REV	16	MAISONNEUVE	LONGUEUI	665,000
7 T EX	895589	REV	16	MAISONNEUVE	LONGUEUI	640,000
8 T EX	897698	REV	1	MAZENO	LONGUEUI	560,000
9 T EX	889495	REV	16	PAPINEAU	LONGUEUI	635,000
10 T EX	898261	REV	16	PAUL	LONGUEUI	650,000
11 T EX	894866	REV	16	PAUL	LONGUEUI	680,000
12 T EX	891263	REV	16	PAUL	LONGUEUI	590,000
13 T EX	895155	REV	16	VILLENEUVE	LONGUEUI	770,000

Entrez le No de ligne ou No MLS:

0 propriété(s) sélectionnée(s)

ALT-F10   HELP | VT-100 | FDX | 1200 N71 | LOG CLOSED | PRT OFF | CR | CR

Type   Adresse   District   No. 892340 St : VE
R E V   LONGUEUI
                                               Rive Sud   Prix de vente
S-type   665,000
13
                                                              Prix de location
Identification   Ch.Affaire :   84,420
16 LOGEMENTS   Dépenses :   20,949
                                  Rev. Net :   63,461   Prix de vente
Lot   89/12/08
98-1983
                                  Dim. Terr. : 111 x 117   Prix Vendu
                                  Dim. Bat :   635,000

Occupation   :   Prix loué
Rendez-vous : A.I.   0

————————————————————— Inscripteur(s) —————————————————————

                                                                    C.V.
                                                                    2.5 %

Insc : 89/11/03   Exp : 90/02/01

                                              Numero de M.L.S.?

ALT-F10   HELP | VT-100 | FDX | 1200 N71 | LOG CLOSED | PRT OFF | CR | CR

APPENDICE 4

LA FICHE TECHNIQUE

PROPRIÉTÉ À REVENUS — MF 100-A — REVENUE PROPERTY

District	5600 LONGUEUIL
Adresse - *Address*	200, rue Nordet
Près de - *Near*	Soroit
Revenu Brut *Gross Revenue*	58 392$
Comptant - *Cash*	A discut.
Prix - *Price*	429 000$
MLS No	Page 1

Age	1970	
Dim. Bât. - *Size Bldg.*	58 X 62	
Dim. Terrain - *Size Lot*	128 X 113	
Cad. Par., Cad. & Subdivision	C-8551615	
Étages - *Storeys*	2½	
Zonage - *Zoning*	Multi	
Superf. Ter. - *Area Lot*	14,279 pc	
Rendez-vous - *Appointments*	000-0000	

Évaluation - *Assessment*
T/L 56 000$
B/B 308 000$
TOTAL 364 000$

Poêles - *Stoves*	2
Réfrigérateurs - *Refrigerators*	2
Ascenseurs - *Elevators*	non
Incinérateur - *Incinerator*	non
Buanderie - *Laundry*	entrée/lav. séch.
Chauffage - *Heating*	gaz
Eau chaude - *Hot water*	prop.
Garages	non
Stationnement extérieur *Exterior Parking*	12 places

DESCRIPTION GÉNÉRALE — GENERAL DESCRIPTION

PROPRIETE EN BETON TRES BIEN ENTRETENUE DE
12 LOGEMENTS - 9 X 4½ et 3 X 3½

VISITE AVEC PROMESSE D'ACHAT ACCEPTEE

HYPOTHÈQUE

	%	Échéance - *Due*	Créancier - *Mortgagee*	Remboursement - *Repayment*
250 000$	12%	01-11-92	Banque du Peuple	C.I. 2 580$/mois

C.V. - *S.B.*	2.5%		
Date d'inscription *Listing Date*	21 04 90		
Date d'expiration *Expiry date*	21 06 90		
Agent	Joseph Toulemonde	Tél. (Soir - *Night*) 000-0000	

C.I. - *L.B.* LE COURTIER EFFICACE INC.
Adresse *Address* 2000, boul. Pruneau
Longueuil, Québec
Tél. 000-0000
Code de succursale *Branch Code* COU 220

MF 100-A (11/88)

No App. Apt. No.	Pièces Rooms	Loyer Rent	Échéance Baux Expiry Date
1	4½	404$	30-06-90
2	4½	405$	30-06-90
3	4½	405$	30-06-90
4	3½	350$	30-06-90
5	4½	442$	30-06-90
6	4½	425$	30-06-90
7	4½	425$	30-06-90
8	3½	338$	30-06-90
9	4½	442$	30-06-90
10	4½	425$	30-06-90
11	4½	445$	30-06-90
12	3½	360$	30-06-90

ÉTAT DES DÉPENSES - EXPENSE STATEMENT

MLS No — Page 2

Taxes: Municipales - *Municipal*	6 780$	
Scolaire *School*	450$	
Spéciales - *Special*	non	
Eau - *Water*	non	
		REVENU BRUT *GROSS REVENUE* 58 392$
Chauffage - *Heating*	5 900$	
Électricité - *Electricity*	600$	
Assurances - *Insurance*	703$	
Surintendant - *Superintendent*	1 450$	
Entretien - *Maintenance*	600$	
TOTAL		16 483$
		REVENU NET *NET REVENUE* 41 909$

Paiement - Payments

Int. 1ère Hyp. - *Int. 1st. Mtge.*	28 960$	
Int. 2ième Hyp. - *Int. 2nd Mtge.*	non	
Bal. de Vente - *Bal. of Sale*	non	
Remboursement du Capital *Principal Repayment*	2 000$	30 960$

RENDEMENT NET *NET YIELD*	%	LIQUIDITÉ *CASH FLOW* 10 949$

Rev. Brut Mensuel *Gross Monthly Rev.* 4 866$ x 12: 58 392$

APPENDICE 5

LA GRILLE DE POURCENTAGES

GRILLE DE POURCENTAGES

A) CALCUL DU REVENU BRUT RÉEL

1) Revenu brut potentiel (r.b.p.)..............100 %

2) Moins : taux d'inoccupation ....5 %

3) Revenu brut réel (r.b.r.)....................95 %

B) FRAIS D'EXPLOITATION (excluant les frais de financement)

1) Taxes municipales, scolaires et eau .....(18 % du r.b.p.)

2) Chauffage : au mazout...........(15 % du r.b.p.)
   au gaz...............(10 % du r.b.p.)
   à l'électricité.........(13 % du r.b.p.)
   payé par
   le locataire..........(0,5 % du r.b.p.)

3) Assurances : immeuble en béton ...(1 % du r.b.p)
   immeuble en bois de plus
   12 appartements ....(1,5 % du r.b.p.)
   immeuble en bois de moins
   12 appartements .....(2 % du r.b.p.)

4) Entretien.......................(5 % du r.b.p.)

5) Divers (déneigement, produits de
   nettoyage, etc.) ....(0,5 % du r.b.p.)

6) Frais administratifs..............(5 % du r.b.r.)

C) FRAIS D'EXPLOITATION TOTAUX (Moyenne)

Immeuble chauffé par
le propriétaire ....(45 %-50 % du r.b.p.)

Immeuble non chauffé par le
propriétaire ....(35 %-40 % du r.b.p.)

D) LIQUIDITÉ (CASH FLOW) AVANT LES FRAIS DE FINANCEMENT

Immeuble chauffé par le
propriétaire ....(50 %-55 % du r.b.p.)
Immeuble non chauffé par le
propriétaire ....(60 %-65 % du r.b.p.)

APPENDICE 6

CALCUL DE LA VALEUR PAR LA TECHNIQUE DU REVENU

CALCUL DE LA VALEUR PAR LA TECHNIQUE DU REVENU

DÉMONSTRATION DE LA FORMULE :

(M x f) + (E x y) = taux de capitalisation

M : Proportion de l'hypothèque par rapport à la valeur marchande de l'immeuble.

f : Constante hypothécaire.

E : Proportion de la mise de fonds par rapport à la valeur marchande de l'immeuble.

y : Taux de dividende annuel.

APPLICATION DE LA FORMULE :

*M : Une hypothèque représentant 75 % de la valeur marchande à 10 1/2 % d'intérêt, amortie sur 25 ans.

f : Remboursement périodique : 0.009283 x 12 mois = 0.111396

E : Une mise de fonds de 25 % de la valeur marchande.

*y : Un rendement sur la mise de fonds de 7 %.

.009283 x 12 mois = .111396
(.75 x .1114) + (.25 x .07)
.08355 + .0175 = .10105 ou 10.10 %

Taux de capitalisation : 10.10 %

* En 1987, année où l'évaluation de l'immeuble qui fait l'objet de notre exemple a été faite, il était possible d'obtenir d'une institution financière une hypothèque amortissable sur 25 ans et renouvelable 3 ans plus tard à 10 1/2 % d'intérêt. Un certificat de placement de 3 ans rapportait 7 % d'intérêt.

147

À l'aide des tables suivantes vous trouverez le facteur qui s'applique à notre exemple :

Compound Interest and Discount Factor Tables for Appraisers—The Six Functions of one Dollar, Appraisal Institute of Canada—Institut canadien des évaluateurs, Winnipeg, 1987, 310 p.

Facteur 9.2833 par tranche de 1 000 $
.0092833 x 12 mois = .1114

APPENDICE 7

LE CALCUL DE RENDEMENT, LA PROJECTION DE RENDEMENT ET LE RENDEMENT À LA REVENTE DE L'IMMEUBLE ACQUIS PAR MONSIEUR NORMAND

CALCUL DE RENDEMENT D'UNE PROPRIÉTÉ À REVENUS

A.	Prix de la Propriété	:	$410,000	
B.	Actif Net	:	$ 85,000	
C.	Coût en Capital Non-Amorti	:	$307,505	
D.	Dépréciation Annuelle	:	4.00%	
E.	Exempt. sur Gain en Capital	:	$100,000	
F.	Portion Imposable du Gain	:	75.00%	
G.	Impôt sur le Revenu	:	40.00%	
H.	Période de Rétention	:	5 nnees	
I.	Plus-Value Annuelle Possible	:	8.00%	
J.	Changement Annuel du Revenu d'Exploitation	:	4.00%	
K.	Nombre d'Hypothèques (max. 3)	: 2		

			1	2
	Montant du Prêt	:	$250,000	$75,000
	Intérêt	:	12.00	10.00
	Amortissement Restant	:	22.00	25.00
	Service Annuel de la Dette	:	$ 31,719	$ 8,050

L.	Revenu d'Exploitation Net	:	$ 41,909
M.	Frais de Courtage	:	5.00%
N.	Classe 31 ou 32 (O/N)	: N	Suite du Calcul autre page O/N? O

ALT-F10   HELP | VT-100 | FDX | 1200 N71 | LOG CLOSED | PRT OFF | CR | CR

PROJECTION DE RENDEMENT

		:	1 :	2 :	3 :	4 :	5
A.	Revenu d'Exploitation Net	:	41,909	43,585	45,328	47,141	49,026
B.	Pourcentage du Prix	:	10.22	10.63	11.05	11.49	11.95
C.	Service de la Dette	:	39,769	39,769	39,769	39,769	39,769
D.	Liquidité avant Impôt	:	2,140	3,816	5,559	7,372	9,257
E.	Pourcentage de l'Actif	:	2.51	4.48	6.54	8.67	10.89
F.	Capital Hypothèque	:	3,312	3,706	4,147	4,641	
G.	Revenu Imposable (brut)	:	5,452	7,522	9,706	12,013	9,257
H.	Déduction Amortissement	:	5,452	7,522	9,706	11,393	
I.	Revenu Imposable (net)	:				620	9,257
J.	Impôt sur le Revenu	:				248	3,702
K.	Liquidité après Impôt	:	2,140	3,816	5,559	7,124	5,555
L.	Pourcentage de l'Actif Net	:	2.51	4.48	6.54	8.38	6.53
M.	C.C.N.A. en fin d'Année	:	302,053	294,531	284,825	273,432	273,432
N.	Solde Hypothèque fin Année	:	321,687	317,980	313,833	309,192	303,997

ALT-F10   HELP | VT-100 | FDX | 1200 N71 | LOG CLOSED | PRT OFF | CR | CR

RENDEMENT À LA VENTE

A.	Prix de Revente	:	602,422
B.	Frais de Courtage	:	30,121
C.	Prix Net de Revente	:	572,301
D.	Solde de l'Hypothèque	:	303,997
E.	Actif Net à la Revente	:	268,304
F.	Actif Net Original	:	85,000
G.	Augment. Actif Net avant Impôt	:	183,304
H.	Gain en Capital	:	162,301
I.	Exempt. sur Gain en Capital	:	100,000
J.	Gain en Capital moins Exemption	:	62,301
K.	Gain en Capital imposable	:	46,725
L.	Dépréciation Annuelle Récupérée	:	34,073
M.	Total Imposable	:	80,798
N.	Impôt sur le Revenu	:	32,319
O.	Augment. Actif Net après Impôt	:	150,985
P.	Actif Net sur une Base Annuelle	:	25,736
Q.	Liquidités Moyennes après Impôt	:	4,838
R.	Rendement Annuel	:	30,574
S.	Taux de Rendement Annuel	:	35.96

Pressez la TOUCHE 'RETOUR'...

ALT-F10   HELP | VT-100 | FDX | 1200 N71 | LOG CLOSED | PRT OFF | CR | CR

APPENDICE 8

EXEMPLE D'UN CALCUL DE RENDEMENT, DE PROJECTION DE RENDEMENT ET LE RENDEMENT À LA REVENTE AVEC LE LOGICIEL HOP/SIM DE LA MAISON HOPEM

			Montant	Taux	Échéance	Nb. années	Paiement annuel
Prix de la propriété	:	410000.00					
Capital investi:	:	85000.00					
Coût en capital non-amorti	:	307505.00					
Dépréciation annuelle	:	4.00%					
Exemption sur gain en capital	:	100000.00					
Proportion imposable du gain	:	75.00%					
Impôt sur le revenu	:	40.00%					
Période de rétention	:	5.00%					
Plus-value annuelle possible	:	8.00%					
Augmentation des revenus	:	4.00%					
Hypothèque	:						
		1) PREMIÈRE	250000.00	12.00%	91/03/31	22	31719.00
		2) SECONDE	75000.00	10.00%	91/03/31	25	8050.44
Revenu net d'exploitation	:	41909.00					
Frais de courtage	:	5.00%					

PROJECTION DE RENDEMENT

		ANNÉE-1	ANNÉE-2	ANNÉE-3	ANNÉE-4	ANNÉE-5
Revenu net d'exploitation	:	41909.00	43585.36	45328.77	47141.92	49027.60
Pourcentage du prix	:	10.22	10.63	11.06	11.50	11.96
Service de la dette	:	39769.44	39769.44	39769.44	39769.44	39769.44
Liquidité avant impôt	:	2139.56	3815.92	5559.33	7372.48	9258.16
Pourcentage de l'actif	:	2.52	4.49	6.54	8.67	10.89
Capital hypothèque	:	3312.54	3706.51	4147.57	4641.32	5194.23
Revenu imposable (brut)	:	5452.10	7522.43	9706.90	12013.80	14452.39
Déduction amortissement	:	5452.10	7522.43	9706.90	11392.94	10937.23
Revenus imposable (net)	:	0.00	0.00	0.00	620.86	3515.16
Impôt sur le revenu	:	0.00	0.00	0.00	248.34	1406.06
Liquidité après impôt	:	2139.56	3815.92	5559.33	7124.14	7852.10
Pourcentage de l'actif net	:	2.52	4.49	6.54	8.38	9.24
C.C.N.A. en fin d'année	:	302052.90	294530.47	284823.57	273430.63	262493.40
Solde de fin de l'hypothèque	:	321687.46	317980.95	313833.38	309192.06	303997.83

RENDEMENT À LA REVENTE

Prix de revente	:	602422.00
Frais de courtage	:	30121.10
Prix net de revente	:	572300.90
Solde de l'hypothèque	:	303997.83
Actif net à la revente	:	268303.07
Actif net original	:	85000.00
Augment. actif net avant impôt	:	183303.07
Gain en capital	:	162300.90
Exemption sur gain en capital	:	100000.00
Gain capital moins exemption	:	62300.90
Gain en capital imposable	:	46725.67
Dépréciation ann. récupérée	:	45011.60
Total imposable	:	91737.27
Impôt sur le revenu	:	36694.91
Aug. de l'actif net après imp.	:	146608.16
Actif net sur base annuelle	:	24990.24
Liquidité moyenne après impôt	:	5298.21
Rendement annuel	:	30288.45
Taux de rendement annuel	:	35.63

Record #	FORMAT	NOLIG	DESC	FONCTION	CALCUL	ZÉRO	ANNÉE
129	EDGA	1	Prix de la propriété	U		N	1
130	EDGA	2	Capital investi	U		N	1
131	EDGA	3	Coût en capital non-amorti	U		N	1
132	EDGA	4	Dépréciation annuelle	U %		N	1
133	EDGA	5	Exemption sur gain en capital	U		N	1
134	EDGA	6	Proportion imposable du gain	U %		N	1
135	EDGA	7	Impôt sur le revenu	U %		N	1
136	EDGA	8	Période de rétention	U		N	1
137	EDGA	9	Plus-value annuelle possible	U %		N	1
138	EDGA	10	Augmentation des revenus	U %		N	1
139	EDGA	11	Hypothèque	HU		N	1
140	EDGA	12	Revenu net d'exploitation	U		N	1
141	EDGA	13	Frais de courtage	U %		N	1
142	EDGA	14		E		N	1
143	EDGA	15		E		N	1
144	EDGA	16	PROJECTION DE RENDEMENT	E		N	1
145	EDGA	17		A		N	5
146	EDGA	18	Revenu net d'exploitation	U +	L10	N	5
147	EDGA	19	Pourcentage du prix	C	L18/L1*100.00	N	5
148	EDGA	20	Service de la dette	HT	L11[C]+L11[I]	N	5
149	EDGA	21	Liquidité avant impôt	C	L18-L20	N	5
150	EDGA	22	Pourcentage de l'actif	C	L21/L2*100.00	N	5
151	EDGA	23	Capital hypothèque	HT	L11[C]	N	5
152	EDGA	24	Revenu imposable (brut)	C	L21+L23	N	5
153	EDGA	25	Déduction amortissement	C	(L3-L25[P])*L4<L24	N	5
154	EDGA	26	Revenus imposable (net)	C	L24-L25	N	5
155	EDGA	27	Impôt sur le revenu	C	L26*L7	N	5
156	EDGA	28	Liquidité après impôt	C	L21-L27	N	5
157	EDGA	29	Pourcentage de l'actif net	C	L28/L2*100	N	5
158	EDGA	30	C.C.N.A. en fin d'année	C	L3-L25[P]	N	5
159	EDGA	31	Solde de fin de l'hypothèque	C	L11[H]-L23[P]	N	5
160	EDGA	32		E		N	1
161	EDGA	33	RENDEMENT À LA REVENTE	E		N	1
162	EDGA	34		E		N	1
163	EDGA	35	Prix de revente	U		N	1
164	EDGA	36	Frais de courtage	C	L35*L13	N	1
165	EDGA	37	Prix net de revente	C	L35-L36	N	1
166	EDGA	38	Solde de l'hypothèque	HT	L31[5]	N	1
167	EDGA	39	Actif net à la revente	C	L37-L38	N	1
168	EDGA	40	Actif net original	C	L2	N	1
169	EDGA	41	Augment. actif net avant impôt	C	L39-L40	N	1
170	EDGA	42	Gain en capital	C	L37-L1	N	1
171	EDGA	43	Exemption sur gain en capital	C	L5	N	1
172	EDGA	44	Gain capital moins exemption	C	L42-L43	N	1
173	EDGA	45	Gain en capital imposable	C	L44*L6	N	1
174	EDGA	46	Dépréciation ann. récupérée	C	L25[T]	N	1
175	EDGA	47	Total imposable	C	L45+L46	N	1
176	EDGA	48	Impôt sur le revenu	C	L47*L7	N	1
177	EDGA	49	Aug. de l'actif net après imp.	C	L41-L48	N	1
178	EDGA	50	Actif net sur base annuelle	C	L49(1/(1+L9)**L8)/L9	N	1
179	EDGA	51	Liquidité moyenne après impôt	C	L28[T]/L8	N	1
180	EDGA	52	Rendement annuel	C	L50+L51	N	1

APPENDICE 9

LA PROMESSE D'ACHAT

PROMESSE D'ACHAT GÉNÉRALE
Formule prescrite par
l'Association de l'immeuble du Québec
à l'usage exclusif de ses membres

SPECIMEN (watermark)

1. IDENTIFICATION DES PARTIES

M. NORMAND

(nom et occupation: acheteur 1)   (nom et occupation: vendeur 1)

(adresse: acheteur 1)   (code postal)   (adresse: vendeur 1)   (code postal)

(nom et occupation: acheteur 2)   (nom et occupation: vendeur 2)

(adresse: acheteur 2)   (code postal)   (adresse: vendeur 2)   (code postal)
                         (ci-après appelé l'ACHETEUR)   (ci-après appelé le VENDEUR)

2. OBJET DU CONTRAT

2.1 Par la présente, l'ACHETEUR promet d'acheter par l'intermédiaire de **AUDETTE & AUDETTE INC.**, courtier, représenté par **Clément Fortin** (permis n° 00000) l'immeuble ci-après décrit aux prix et conditions énoncés ci-dessous.

3. DESCRIPTION SOMMAIRE DE L'IMMEUBLE

3.1 **ADRESSE:** LONGUEUIL, Québec

                                                                    (numéro, rue, ville)
3.2 ☒ **IMMEUBLE** L'immeuble, avec constructions y érigées, est désigné comme suit:

Désignation cadastrale: _____ C-655 9215
                    (numéro de lot, paroisse ou subdivision)   (nom du cadastre officiel)
Dimensions: 128 pc de front sur 113 pc de profondeur, pour une superficie de 14,464 pcarrés, plus ou moins.

☐ L'immeuble est détenu en copropriété ☐ divise ☐ indivise pour une fraction de _____ %.

L'immeuble en copropriété comprend _____ espace(s) de stationnement (no(s) _____), _____ espace(s) de rangement (no(s) _____).

3.3 ☐ **FONDS DE COMMERCE** Le fonds de commerce connu et exploité sous le nom et raison sociale de: _____

                                                                    (ci-après appelé l'IMMEUBLE)

4. PRIX ET ACOMPTE

4.1 **PRIX** Le prix d'achat sera de **TROIS CENT QUATRE-VINGT MILLE --------------------** dollars (380 000 $) que l'ACHETEUR convient de payer lors de la signature de l'acte de vente.

4.2 **ACOMPTE** Avec la présente promesse d'achat, l'ACHETEUR remet à l'intermédiaire mentionné ci-dessus, à titre d'acompte sur le prix de vente à payer, une somme de **TROIS MILLE --------------------** dollars (3 000 $) au moyen d'un chèque fait à l'ordre de **notaire de l'acheteur in trust** en fidéicommis • (ci-après appelé le FIDUCIAIRE).
                    (nom du courtier inscripteur)
Après l'acceptation de la présente promesse d'achat, le chèque pourra être visé et devra être remis au FIDUCIAIRE. Celui-ci émettra un reçu et devra déposer cette somme en fidéicommis jusqu'à la signature de l'acte de vente, alors qu'elle sera imputée au prix d'achat. Advenant que la présente promesse d'achat devienne nulle et non avenue conformément aux dispositions ci-après, le FIDUCIAIRE devra, à la demande écrite de l'ACHETEUR, lui rembourser le dépôt sans intérêt. Autrement, le FIDUCIAIRE ne pourra disposer de ce dépôt que conformément à la présente promesse d'achat.

5. DÉCLARATIONS ET OBLIGATIONS COMMUNES AUX PARTIES

5.1 **ACTE DE VENTE** Les parties s'engagent à signer un acte de vente, rédigé en français, devant le notaire **de l'acheteur**, le ou avant le **7 juillet** 19 **90**. L'ACHETEUR sera propriétaire à compter de la signature de l'acte de vente.

5.2 **RÉPARTITIONS** Au moment de la signature de l'acte de vente, toutes les répartitions relatives aux taxes foncières générales et spéciales, aux dépenses de copropriété, aux réserves de combustibles, ainsi qu'aux revenus et dépenses afférentes à l'IMMEUBLE seront faites en date **de la signature de la vente**. S'il s'agit d'une copropriété, il n'y aura aucune répartition du fonds de réserve générale ni du fonds pour éventualités.

5.3 **RÉMUNÉRATION AU COURTIER** Les parties chargent de façon irrévocable le notaire instrumentant à retenir à même le produit de la vente et à payer directement à **AUDETTE & AUDETTE INC.** 9 500$ et _____, courtier, la rémunération prévue au contrat de courtage consenti par le VENDEUR. **coûtfilé vendeur**

5.4 **INCLUSIONS** Sont inclus dans la vente: a) les installations permanentes de chauffage, d'électricité et d'éclairage; b) autres: **deux (2) "poêles" et deux (2) réfrigérateurs**

5.5 **EXCLUSIONS** Sont exclus de la vente: a) les tringles à rideaux et les stores; b) autres _____

c) les appareils suivants qui font l'objet d'un contrat de location: _____

5.6 **AUTRES DÉCLARATIONS ET CONDITIONS** _____

Les conditions apparaissant au verso de la présente formule, ainsi que celles apparaissant aux annexes désignées ci-dessous par un numéro, font partie intégrante des présentes:

Annexe A: AA-|1|2|3|4|5| Annexe B: AB-|1|2|3|4|5| Annexe générale: AG-|_|_|_|_|_| Autre: _____

5.7 **CONDITIONS D'ACCEPTATION** Les parties déclarent que leur consentement aux présentes n'est le résultat d'aucune représentation ou condition qui n'y est pas écrite. L'ACHETEUR s'oblige irrévocablement par les présentes jusqu'à **23** h **59**, le **11 juin** 19 **90**. Si le VENDEUR l'accepte pendant ce délai, les deux parties seront juridiquement liées jusqu'à parfaite exécution des présentes. Tout refus par le VENDEUR aura pour effet de rendre la présente promesse d'achat nulle et non avenue. Toute contre-proposition par le VENDEUR aura le même effet qu'un refus.

SIGNATURES (Tous les exemplaires doivent porter des signatures originales)

ACHETEUR L'ACHETEUR reconnaît avoir lu et compris cette promesse d'achat et en avoir reçu copie.

RÉPONSE DU VENDEUR Le VENDEUR reconnaît avoir lu et compris promesse d'achat et en avoir reçu copie.

Il déclare ☐ _____ cette promesse d'achat.
                (l'accepter ou "refuser")
        ☐ y faire la contre-proposition CP-|_|_|_|_|_|

Signé à LONGUEUIL, Québec,   Signé à _____,
le 7 juin 19 90, à 14:00   le _____ 19 ___, à ___ h ___.
        M. NORMAND

(signature: acheteur 1)   (signature: vendeur 1)

(signature: acheteur 2)   (signature: vendeur 2)

(signature: témoin)   (signature: témoin)

ACCUSÉ DE RÉCEPTION L'ACHETEUR reconnaît avoir reçu copie de la réponse du VENDEUR.

INTERVENTION DU CONJOINT DU VENDEUR Le soussigné déclare être le conjoint du VENDEUR, consent à l'acceptation de la présente promesse d'achat et s'engage à intervenir à l'acte de vente notarié à cet effet.

Signé à _____,   Signé à _____,
le _____ 19 ___, à ___ h ___.   le _____ 19 ___, à ___ h ___.

(signature: acheteur 1)   (signature: conjoint du vendeur 1)

(signature: acheteur 2)   (signature: conjoint du vendeur 2)

(signature: témoin)   (signature: témoin)

220FN (89-10) © Association de l'immeuble du Québec, 1989. Tous droits de reproduction, d'adaptation et de traduction réservés, sauf accord écrit.

PA 12345

6. DÉCLARATIONS ET OBLIGATIONS DE L'ACHETEUR

6.1 **DÉCLARATIONS** L'ACHETEUR a examiné l'IMMEUBLE et s'en déclare satisfait. L'ACHETEUR a de plus, s'il y a lieu, examiné la déclaration de copropriété, ainsi que les règlements et les états financiers de la copropriété, et s'en déclare satisfait.

6.2 **TAXES ET DÉPENSES DE COPROPRIÉTÉ** L'ACHETEUR s'engage, suite à la signature de l'acte de vente, à payer toute taxe municipale sur les mutations immobilières, les taxes foncières générales et spéciales ainsi que les dépenses de copropriété.

6.3 **FRAIS** L'ACHETEUR s'engage à assumer les frais de l'acte de vente, de son enregistrement, ainsi que des copies requises.

6.4 **FAUTE DE L'ACHETEUR** Advenant que par sa faute aucun contrat d'acquisition n'est signé pour cet IMMEUBLE, l'ACHETEUR s'engage à dédommager directement le courtier lié au VENDEUR par contrat de courtage, en lui versant la rémunération que ledit VENDEUR aurait autrement eu à lui payer.

6.5 **INCESSIBILITÉ** L'ACHETEUR s'engage à ne pas vendre, céder ou autrement aliéner ses droits dans la présente promesse d'achat à une personne qui ne lui est pas liée aux sens des lois fiscales provinciale et fédérale, sans obtenir au préalable le consentement écrit du VENDEUR.

7. DÉCLARATIONS ET OBLIGATIONS DU VENDEUR

7.1 **DÉCLARATIONS** Sauf ce qui est déclaré aux présentes, le VENDEUR n'a connaissance d'aucun facteur inhérent à l'IMMEUBLE susceptible d'en diminuer la valeur ou d'en augmenter les dépenses de copropriété de façon significative.
De plus, il n'a reçu, concernant cet IMMEUBLE, aucun avis de non-conformité émis par les autorités auxquels il ne s'est pas conformé.
Le VENDEUR n'a reçu aucun avis d'un locataire ou d'un conjoint d'un locataire déclarant qu'un logement sert de résidence familiale.
Le VENDEUR n'est pas un non-résident canadien au sens des lois fiscales provinciale et fédérale.
La municipalité fournit les services d'aqueduc et d'égout à moins de stipulation contraire aux présentes.

7.2 **LIVRAISON DE L'IMMEUBLE** Le VENDEUR promet de vendre l'IMMEUBLE et s'engage à le livrer dans l'état où il se trouvait lorsque l'acheteur l'a examiné.

7.3 **FRAIS DE REMBOURSEMENT ET DE RADIATION** Le VENDEUR assumera les frais encourus pour le remboursement de tout emprunt existant dont l'ACHETEUR n'assume pas les obligations, ainsi que pour la radiation de tout nantissement ou hypothèque relié à un tel emprunt.

7.4 **DOCUMENTS DE PROPRIÉTÉ** Le VENDEUR fournira à l'ACHETEUR un bon titre de propriété, libre de toute charge et autre droit réel sauf les servitudes usuelles d'utilité publique et ce qui est déclaré aux présentes, ainsi qu'un certificat de localisation décrivant l'état actuel de l'IMMEUBLE. Dans le cas d'un IMMEUBLE détenu en copropriété divise, un extrait du certificat décrivant la partie divise sera suffisant; dans le cas d'un terrain sans bâtiment, un plan d'arpentage sera suffisant.

7.5 **VICE OU IRRÉGULARITÉ** Advenant la dénonciation aux parties, avant la signature de l'acte de vente, d'un quelconque vice ou d'une quelconque irrégularité affectant les titres, le certificat de localisation ou les engagements du VENDEUR contenus aux présentes, ce dernier disposera d'un délai de 21 jours à compter de la réception d'un avis écrit à cet effet, pour aviser l'ACHETEUR, par écrit, qu'il a remédié, à ses frais, au vice ou irrégularité soulevé, ou qu'il ne peut y remédier.
Dans cette dernière éventualité, l'ACHETEUR pourra, dans les cinq (5) jours suivant la réception d'un tel avis, aviser le VENDEUR, par écrit:
a) qu'il achète avec les vices ou irrégularités allégués, auquel cas la garantie du VENDEUR sera diminuée d'autant, ou
b) qu'il rend la présente promesse d'achat nulle et non avenue, auquel cas les honoraires, dépenses et frais alors raisonnablement engagés par l'une ou l'autre des parties seront à la seule charge du VENDEUR.
Dans le cas où l'ACHETEUR ne se serait pas prévalu des dispositions des paragraphes a) ou b) dans le délai stipulé, la présente promesse d'achat deviendra nulle et non avenue, auquel cas les honoraires, dépenses et frais alors engagés par chacune des parties seront à leur charge respective.

7.6 **INTERVENTION DU CONJOINT** Si une partie de l'IMMEUBLE décrit aux présentes constitue la résidence familiale du VENDEUR, ou si son régime matrimonial le rend nécessaire, ce dernier s'engage à remettre à l'ACHETEUR dès l'acceptation des présentes, soit le consentement de son conjoint ainsi que l'engagement de ce dernier à intervenir à l'acte de vente notarié, soit copie d'un jugement l'autorisant à vendre l'IMMEUBLE sans le consentement de son conjoint. À défaut, l'ACHETEUR pourra, par un avis écrit à cet effet, rendre la présente promesse d'achat nulle et non avenue.

8. GÉNÉRALITÉS

8.1 **INTERPRÉTATION** À moins que le contexte ne s'y oppose, tout mot écrit au masculin comprend aussi le féminin et vice versa et tout mot écrit au singulier comprend aussi le pluriel et vice versa.

8.2 **RENONCIATION** Toute partie aux présentes aura en tout temps le privilège de renoncer, par écrit, à toute condition stipulée à son seul bénéfice.

RENSEIGNEMENTS NE FAISANT PAS PARTIE DE LA PROMESSE D'ACHAT

À TITRE D'INFORMATION...

Tout courtier ou agent immobilier qui pratique au Québec doit être détenteur d'un permis émis en vertu de la Loi sur le courtage immobilier. La plupart de ces détenteurs de permis sont toutefois membres de l'Association de l'immeuble du Québec, et à ce titre se sont engagés à respecter les normes plus rigoureuses du Code de déontologie adopté par celle-ci pour réglementer la pratique du courtage immobilier. Certaines dispositions de la Loi sur le courtage immobilier et de ses règlements ainsi que du Code de déontologie apparaissent ci-dessous.

Résumé de certaines dispositions de la Loi sur le courtage immobilier (L.R.Q., c. C-73) et de ses règlements:

• Le Fonds d'indemnisation du courtage immobilier administre un fonds pour garantir, jusqu'à concurrence d'un montant de 10 000,00 $ par opération immobilière, la responsabilité qu'un courtier ou un agent immobilier peut encourir en raison d'une fraude, d'une opération malhonnête, d'un détournement de fonds ou d'autres biens qui doivent être déposés dans un compte en fiducie conformément à la Loi sur le courtage immobilier. (art. 9.25 de la Loi sur le courtage immobilier et art. 6 du règlement sur le Fonds d'indemnisation du courtage immobilier)

• Les renseignements et documents qu'un courtier ou un agent fournit aux parties à une opération immobilière doivent avoir été vérifiés par ce courtier ou agent. (art. 41 du règlement d'application de la Loi sur le courtage immobilier)

• Le courtier ou l'agent qui agit comme intermédiaire et accomplit une opération immobilière doit délivrer, sans délai, à chacune des parties, une copie dûment signée de tout document constatant l'acceptation ou le refus d'une promesse d'achat ou de vente relative à cette opération immobilière. (art. 42 du règlement d'application de la Loi sur le courtage immobilier)

Pour tout renseignement concernant l'application de la Loi sur le courtage immobilier et ses règlements, adressez-vous

À Montréal:
Surintendant du courtage immobilier
255, boul. Crémazie Est
Montréal, QC
H2M 1L5
(514) 873-3947

À Québec:
Surintendant du courtage immobilier
220, rue Grande-Allée Est, bureau 910
Québec, QC
G1R 2J1
(418) 643-4597

Résumé de certaines règles de déontologie de l'Association de l'immeuble du Québec:

• Le membre doit protéger et promouvoir les intérêts de son client tout en accordant un traitement équitable à toutes les parties engagées dans une opération immobilière.
Lorsque les intérêts de l'une ou l'autre partie l'exigent, le membre doit recommander d'avoir recours à l'avis d'un expert reconnu par la loi. (art. 3.1)

• Le membre doit conseiller et informer avec objectivité toutes les parties à une opération immobilière. Cette obligation, qui porte sur l'ensemble des faits pertinents à l'immeuble et à l'opération immobilière elle-même, exclut toute exagération, dissimulation ou fausse déclaration. (art. 3.2)

• Le membre doit, pour assurer la protection de toutes les parties à une opération immobilière effectuée par son intermédiaire, veiller à ce que toutes les obligations des parties soient consignées par écrit et reflètent adéquatement leur volonté. Une copie de l'entente doit être remise à chacune des parties dès qu'elle a été signée et une autre conservée dans son dossier. (art. 3.5)

Pour tout renseignement concernant le Code de déontologie de l'Association, adressez-vous

Pour tout le Québec:
Association de l'immeuble du Québec
550, rue Sherbrooke Ouest, bureau 700
Montréal, QC
H3A 1B9

Montréal: (514) 842-0783
Ailleurs au Québec: 1-800-363-6717 (Sans frais)

ANNEXE A
IMMEUBLE
Formule prescrite par
l'Association de l'immeuble du Québec
à l'usage exclusif de ses membres

IDENTIFICATION DU CONTRAT PRINCIPAL

Les conditions apparaissant à la présente annexe font partie intégrante de la promesse d'achat **PA-** L̲1̲_̲_̲_̲_̲
portant sur l'IMMEUBLE sis au .... LONGUEUIL, Québec ....

9. OCCUPATION DES LIEUX

9.1 **LIEUX OCCUPÉS PAR LE VENDEUR** Le VENDEUR s'engage à rendre les lieux qu'il occupe disponibles pour occupation par l'ACHETEUR à compter du
.... 19........ et à les laisser libres de tout bien non inclus à la présente promesse d'achat, à défaut de quoi
l'ACHETEUR pourra les faire enlever aux frais du VENDEUR. Advenant que le VENDEUR quitte les lieux avant cette date, il demeurera toutefois responsable
de maintenir les lieux dans l'état où ils se trouvaient lorsque l'acheteur les a examinés.

Au moment de la signature de l'acte de vente, le prix d'achat sera rajusté d'un montant équivalant à .... $ par mois,
calculé de la date de signature de l'acte de vente jusqu'à la date prévue d'occupation, en guise de compensation pour l'occupation des lieux par le VENDEUR
pendant cette période. Le VENDEUR continuera d'assumer pendant cette période, les frais de chauffage, d'électricité et d'entretien général des lieux occupés.

9.2 **LIEUX OCCUPÉS PAR UN LOCATAIRE** Les montants des loyers et les dates d'échéance des baux affectant l'immeuble, s'il y a lieu, sont les suivants:
Le vendeur garantit que les loyers au 30 juin 1990 sont de 58 392$

.... ; le VENDEUR atteste n'avoir reçu, ni émis, aucun avis susceptible de modifier la durée
des baux ou les obligations y apparaissant, sauf ce qui est déclaré aux présentes. L'ACHETEUR s'engage à respecter tout bail conforme à cette attestation.

10. MODE DE PAIEMENT

10.1 **ACOMPTE** Acompte versé conformément à 4.2 de la présente promesse d'achat: .... 3 000 ... $

10.2 **SOMME ADDITIONNELLE** Au moment de la signature de l'acte de vente, l'ACHETEUR versera ou fera verser, par chèque visé, à
l'ordre du notaire instrumentant en fidéicommis une somme additionnelle d'environ: .... 47 000 ... $

Cette somme comprend tout montant devant être obtenu sous forme de nouvel emprunt hypothécaire, conformément à la section 11.

10.3 **EMPRUNT EXISTANT** L'ACHETEUR assumera, conformément à la section 12, les obligations relatives aux emprunts hypothécaires
existant, dont le solde global s'élève à environ .... 250 000 ... $

10.4 **SOLDE DU PRIX DE VENTE** L'ACHETEUR remboursera au VENDEUR, conformément à la section 13, le solde du prix de vente, soit: ..... 80 000 ... $

PRIX TOTAL .... 380 000 ... $

11. NOUVEL EMPRUNT HYPOTHÉCAIRE

11.1 **MODALITÉS** L'ACHETEUR s'engage à entreprendre de bonne foi, dans les plus brefs délais et à ses frais, toutes les démarches nécessaires pour obtenir un emprunt
de .... $, garanti par une hypothèque de .... rang; cet emprunt, portant intérêt au taux courant, lequel ne doit pas dépasser
.... % l'an (calculé semi-annuellement et non à l'avance), sera payable par versements maximaux de ....
(fusionnant le capital et les intérêts), calculés selon un plan d'amortissement de .... ans, le solde en devenant exigible dans .... ans.

11.2 **ENGAGEMENT** L'ACHETEUR s'engage à fournir au VENDEUR, dans les .... jours suivant l'acceptation des présentes, copie de l'engagement d'un prêteur
hypothécaire à lui consentir un tel emprunt. La réception d'un tel engagement dans ce délai aura pour effet de satisfaire pleinement aux conditions énoncées à 11.1 et 11.2.

11.3 **ABSENCE D'ENGAGEMENT** En l'absence d'une preuve de cet engagement, le VENDEUR pourra, dans les cinq (5) jours suivant l'expiration du délai prévu en 11.2
ou suivant la réception d'un avis de refus, aviser l'ACHETEUR, par écrit:

a) qu'il exige de celui-ci qu'il fasse immédiatement et à ses frais, auprès d'un prêteur hypothécaire qu'il lui désigne, une nouvelle demande d'emprunt
hypothécaire conforme aux conditions énoncées en 11.1. Advenant que l'ACHETEUR ne réussisse pas à obtenir, dans le délai stipulé à l'avis du VENDEUR,
l'engagement écrit de ce prêteur hypothécaire à lui consentir l'emprunt recherché, la présente promesse d'achat deviendra nulle et non avenue. Par ailleurs, la
réception d'un tel engagement dans ce délai aura pour effet de satisfaire pleinement aux conditions de la présente section; ou

b) qu'il rend la présente promesse d'achat nulle et non avenue.

Dans le cas où le VENDEUR ne se serait pas prévalu des dispositions des paragraphes a) ou b) dans le délai stipulé, la présente promesse d'achat deviendra nulle
et non avenue.

12. ASSUMPTION D'OBLIGATIONS HYPOTHÉCAIRES EXISTANTES

12.1 **MODALITÉS** L'ACHETEUR s'engage à entreprendre de bonne foi, dans les plus brefs délais et à ses frais, toutes les démarches nécessaires pour obtenir le
consentement des créanciers hypothécaires à ce que l'ACHETEUR assume les obligations relatives aux emprunts suivants:

a) un emprunt existant dont le solde s'élève à environ .... 250 000 .... $, garanti par hypothèque de ..... 1er ... rang en faveur
de Banque du Peuple ; cet emprunt, portant intérêt au taux de ... 12 ... % l'an (calculé semi-annuellement et non à l'avance), est payable par versements de
.... 2 580 .... (fusionnant le capital et les intérêts), le solde en devenant exigible le ... 1er nov. ... 19 .. 92 ..

b) un emprunt existant dont le solde s'élève à environ .... $, garanti par hypothèque de .... rang en faveur
de .... ; cet emprunt, portant intérêt au taux de .... % l'an (calculé semi-annuellement et non à l'avance), est payable par versements de
.... (fusionnant le capital et les intérêts), le solde en devenant exigible le .... 19 ....

12.2 **CONSENTEMENT** L'ACHETEUR s'engage à fournir au VENDEUR dans les ... 10 ... jours suivant l'acceptation des présentes, copie du consentement des
créanciers hypothécaires à cette demande. La réception de tels consentements dans ce délai aura pour effet de satisfaire pleinement aux conditions énoncées à 12.1 et 12.2.

12.3 **ABSENCE DE CONSENTEMENT** En l'absence d'une preuve de ces consentements, le VENDEUR pourra, dans les cinq (5) jours suivant l'expiration du délai prévu
en 12.2 ou suivant la réception d'un avis de refus:

a) demander lui-même, pour et au nom de l'ACHETEUR, le consentement écrit des créanciers hypothécaires à ce que l'ACHETEUR assume les obligations
hypothécaires du VENDEUR. Advenant que le VENDEUR ne réussisse pas à obtenir, dans un délai de cinq (5) jours, ces consentements écrits, la présente
promesse d'achat deviendra nulle et non avenue. Par ailleurs, la réception de tels consentements dans ce délai aura pour effet de satisfaire pleinement aux
conditions de la présente section; ou

b) rendre, par un avis écrit à cet effet, la présente promesse d'achat nulle et non avenue.

Dans le cas où le VENDEUR ne se serait pas prévalu des dispositions des paragraphes a) ou b) dans le délai stipulé, la présente promesse d'achat deviendra nulle et non avenue.

13. SOLDE DU PRIX DE VENTE

13.1 **MODALITÉS** L'ACHETEUR remboursera au VENDEUR le solde du prix de vente apparaissant en 10.4, lequel sera garanti par privilège de vendeur et hypothèque de
..... second ... rang subséquent à une hypothèque garantissant un emprunt dont le solde ne dépasse pas ... 250 000 ... $; ce solde du prix de
vente, portant intérêt au taux de ... 9 ... % l'an (calculé semi-annuellement et non à l'avance), sera payable par versements de ... mensuels

(fusionnant le capital et les intérêts), calculés selon un plan d'amortissement de ... 25 ... ans, le solde en devenant exigible dans ... 3 ... ans.
L'ACHETEUR aura, en tout temps, le droit de rembourser par anticipation soit la totalité, soit une partie du solde pour autant ce soit par versement de
... 5 000 ... $ ou tout multiple de ce montant, et ce, sans indemnité.

13.2 **GARANTIE ET PRIORITÉ** L'acte de vente comprendra une clause de dation en paiement avec avis de soixante (60) jours, les clauses habituelles de garantie, ainsi qu'une clause par
laquelle le VENDEUR consent à céder priorité de rang en cas de création d'une nouvelle hypothèque conformément à la section 11, soit en cas de renouvellement ou de
remplacement d'une hypothèque ayant déjà priorité sur le solde du prix de vente, pourvu que le solde des emprunts garantis par ces hypothèques ne soit pas augmenté.

13.3 **TRANSFÉRABILITÉ** Le présent solde du prix de vente ne peut être transféré sans obtenir au préalable le consentement écrit du VENDEUR.

PARAPHES   (Tous les exemplaires doivent porter des paraphes originaux)

Acheteur 1	Acheteur 2	Témoin	Vendeur 1	Vendeur 2	Témoin

311FN (89-10) © Association de l'immeuble du Québec, 1989. Tous droits de reproduction, d'adaptation et de traduction réservés, sauf accord écrit.

AA 12345

ANNEXE B
IMMEUBLE LOCATIF
Formule recommandée par
l'Association de l'immeuble du Québec
à l'usage exclusif de ses membres

IDENTIFICATION DU CONTRAT PRINCIPAL

Les conditions apparaissant à la présente annexe font partie de la promesse d'achat **PA-** |1|2|3|4|5|
portant sur l'IMMEUBLE sis au LONGUEUIL, Québec

14. DÉCLARATIONS ET OBLIGATIONS SUPPLÉMENTAIRES

14.1 **ENSEMBLE IMMOBILIER** ☒ L'IMMEUBLE ne fait pas partie d'un ensemble immobilier au sens de la Loi sur la Régie du logement (L.R.Q., c. R-8.1) et n'est pas une partie détachée d'un tel ensemble depuis l'entrée en vigueur de ladite loi; ou

☐ L'IMMEUBLE fait partie d'un ensemble immobilier au sens de la Loi sur la Régie du logement (L.R.Q., c. R-8.1) ou est une partie détachée d'un tel ensemble depuis l'entrée en vigueur de ladite Loi; la présente promesse d'achat est donc conditionnelle à ce que le VENDEUR obtienne l'autorisation de la Régie du logement d'aliéner l'IMMEUBLE. Le VENDEUR s'engage à présenter sa demande à la Régie du logement dans les dix (10) jours de l'acceptation des présentes et à aviser, par écrit, l'ACHETEUR de la décision de la Régie dans les trois (3) jours de la réception de ladite décision. Advenant que la Régie du logement n'accorde pas l'autorisation de vendre l'IMMEUBLE ou advenant que la décision soit positive mais assortie de conditions qui soient inacceptables pour l'ACHETEUR, la présente promesse d'achat deviendra nulle et non avenue.

14.2 **SUBVENTIONS PARTICULIÈRES** Sauf ce qui est déclaré aux présentes, le VENDEUR déclare qu'aucun locataire actuel ne bénéficie ou n'a bénéficié d'avantages particuliers de la part du VENDEUR qui ne soit spécifiquement prévus, par écrit, dans les baux.

15. CONDITIONS OPTIONNELLES

Dans la présente section seules les conditions qui sont cochées font partie intégrante de la présente annexe.

☒ 15.1 **VÉRIFICATIONS PAR L'ACHETEUR** La présente promesse d'achat est conditionnelle à ce que l'ACHETEUR visite l'IMMEUBLE, vérifie les baux présentement en vigueur ainsi que les dépenses afférentes à l'IMMEUBLE et avise, par écrit, le VENDEUR, qu'il est entièrement satisfait suite à cette visite et à ces vérifications et ce, dans les cinq jours suivant l'acceptation des présentes. À cet effet, le VENDEUR devra remettre à l'ACHETEUR, copie de tous les baux, ainsi qu'une copie des états financiers ou une liste des dépenses concernant l'IMMEUBLE, dans les cinq jours de l'acceptation des présentes. Advenant que l'ACHETEUR ne signifie pas ledit avis dans le délai ci-dessus stipulé, la présente promesse d'achat deviendra nulle et non avenue.

☐ 15.2 **PROLONGATION DE BAIL ET FIXATION DE LOYER** Le VENDEUR s'oblige à donner à tous les locataires, dont la période de renouvellement de leur bail se situe entre la date d'acceptation des présentes et la date prévue à l'article 5.1 pour la signature de l'acte de vente, un avis de prolongation de bail et de fixation de loyer. L'avis devra prévoir:

Toutes les autres conditions des baux présentement en vigueur devront demeurer inchangées. Les avis devront être faits conformément aux dispositions du Code Civil. Advenant que le VENDEUR, suite à l'envoi de ces avis, reçoive un refus d'un ou plusieurs locataires de se conformer aux augmentations, le VENDEUR s'engage à s'adresser au tribunal pour faire fixer le loyer, et ce, dans les délais prescrits par le Code Civil.

☐ 15.3 **AUTRES**
Advenant le décès du promettant acheteur M. NORMAND avant la signature de l'acte de vente, cette promesse d'achat deviendra nulle et non avenue à compter de l'arrivée de cet évènement.

Cette promesse d'achat est aussi conditionnelle à ce que le promettant acheteur puisse faire inspecter par la personne de son choix, les lieux sis à LONGUEUIL, Québec. Si cette inspection révèle l'existence de vices ou irrégularités qui soient inacceptables au promettant acheteur, celui-ci disposera de cinq (5) jours à compter de l'acceptation des présentes pour en aviser le propriétaire vendeur par écrit. Dans ce cas, la présente promesse d'achat deviendra nulle et non avenue et le fiduciaire devra sur simple demande écrite de la part du promettant acheteur, lui rembourser son acompte sans intérêt.

PARAPHES (Tous les exemplaires doivent porter des paraphes originaux)

Acheteur 1	Acheteur 2	Vendeur 1	Vendeur 2	Témoin

414 FD (1.01) · Association de l'immeuble du Québec, 1990. Tous droits de reproduction, d'adaptation et de traduction réservés, sauf accord écrit.

AB 12345

APPENDICE 10

LES CONTRE-PROPOSITIONS

CONTRE-PROPOSITION
Formule prescrite par
l'Association de l'immeuble du Québec
à l'usage exclusif de ses membres

1. IDENTIFICATION DES PARTIES

(nom: 1)

(nom: 1)

☒ le VENDEUR
☐ l'ACHETEUR

(nom: 2) (ci-après appelé le CONTRE-PROPOSANT)

(nom: 2)

☐ l'ACHETEUR
☐ le VENDEUR

(ci-après appelé le RÉPONDANT)

2. MODIFICATIONS

2.1 Par la présente, le CONTRE-PROPOSANT promet ☐ de vendre au RÉPONDANT l'immeuble sis au LONGUEUIL, Québec.

☐ d'acheter du

_____ (ci-après appelé l'IMMEUBLE),

aux conditions apparaissant à la promesse d'achat PA-L 4 3 4 5 (ci-après appelée la PROMESSE D'ACHAT), avec les modifications ci-dessous.

2.2 CONTRE-PROPOSITIONS PRÉCÉDENTES Toute contre-proposition précédente, faite par l'une ou l'autre des parties, est nulle et non-avenue.

2.3 MODIFICATIONS

1. Le prix de vente sera de QUATRE CENT VINGT MILLE DOLLARS (420 000$).

2. Le comptant sera de CENT MILLE DOLLARS (100 000$).

3. Le taux d'intérêt sur la balance de vente sera de 9%, 10% et 11% respectivement la 1ère, 2ième et 3ième année.

4. Les logements #3, #7 et #11 seront à louer au 1er juillet 1990, les autres logements ont été augmentés de 10$ par mois.

5. Le coût du surintendant (concierge) a été réduit de 1 450$ à 960$ par année.

6. Les trois (3) chauffe-eau sont maintenant la propriété du vendeur.

2.4 AUTRES CONDITIONS Toutes les autres conditions de la PROMESSE D'ACHAT demeurent inchangées.

2.5 CONDITIONS D'ACCEPTATION Les parties déclarent que leur consentement aux présentes n'est le résultat d'aucune représentation ou condition qui n'y est pas écrite. Le CONTRE-PROPOSANT s'oblige irrévocablement par les présentes jusqu'à 22:00 , le 12 juin 19 90 . Si le RÉPONDANT l'accepte pendant ce délai, les deux parties seront juridiquement liées jusqu'à parfaite exécution des présentes. Tout refus par le RÉPONDANT aura pour effet de rendre la présente contre-proposition et la PROMESSE D'ACHAT nulle et non avenue et le dépôt devra être remis à l'ACHETEUR conformément à 4.2 de la PROMESSE D'ACHAT. Toute nouvelle promesse d'achat aura le même effet qu'un refus. Toute nouvelle contre-proposition par le RÉPONDANT aura le même effet qu'un refus.

SIGNATURES   (Tous les exemplaires doivent porter des signatures originales)

CONTRE-PROPOSANT Le CONTRE-PROPOSANT reconnaît avoir lu et compris cette contre-proposition et en avoir reçu copie.

RÉPONDANT Le RÉPONDANT reconnaît avoir lu et compris cette contre-proposition et en avoir reçu copie.

Il déclare ☐ _____ cette contre-proposition.
                   ("accepter" ou "refuser")
☐ y faire la contre-proposition CP-L | | | | |

Signé à   MONTREAL   ,
le   9 juin   19 90 , à 11:00 .

Signé à _____ ,
le _____ 19 ___ , à ___ h ___ .

(signature: contre-proposant 1)

(signature: répondant 1)

(signature: contre-proposant 2)

(signature: répondant 2)

(signature: témoin)

(signature: témoin)

ACCUSÉ DE RÉCEPTION Le CONTRE-PROPOSANT reconnaît avoir reçu copie de la réponse du RÉPONDANT.

INTERVENTION DU CONJOINT DU VENDEUR Le soussigné déclare être le conjoint du VENDEUR, consent à la présente contre-proposition et s'engage à intervenir à 4.2 de vente notarié à cet effet.

Signé à _____ ,
le _____ 19 ___ , à ___ h ___ .

Signé à _____ ,
le _____ 19 ___ , à ___ h ___ .

(signature: contre-proposant 1)

(signature: conjoint du vendeur 1)

(signature: contre-proposant 2)

(signature: conjoint du vendeur 2)

(signature: témoin)

(signature: témoin)

610FN (89-10) © Association de l'immeuble du Québec, 1989. Tous droits de reproduction, d'adaptation et de traduction réservés, sauf accord écrit.

CP 12345

CONTRE-PROPOSITION
Formule prescrite par
l'Association de l'immeuble du Québec
à l'usage exclusif de ses membres

1. IDENTIFICATION DES PARTIES

M. NORMAND

(nom: 1)   (nom: 1)

(nom: 2)   (nom: 2)

☐ le VENDEUR   ☐ l'ACHETEUR
☒ l'ACHETEUR   (ci-après appelé le CONTRE-PROPOSANT)   ☒ le VENDEUR   (ci-après appelé le RÉPONDANT)

2. MODIFICATIONS

2.1 Par la présente, le CONTRE-PROPOSANT promet ☐ de vendre au RÉPONDANT l'immeuble sis au ☒ d'acheter du   LONGUEUIL, Québec.

(ci-après appelé l'IMMEUBLE),

aux conditions apparaissant à la promesse d'achat **PA- 3 2 3 4 5** (ci-après appelée la PROMESSE D'ACHAT), avec les modifications ci-dessous.

2.2 CONTRE-PROPOSITIONS PRÉCÉDENTES Toute contre-proposition précédente, faite par l'une ou l'autre des parties, est nulle et non-avenue.

2.3 MODIFICATIONS

1. Le prix de vente sera de QUATRE CENT CINQ MILLE DOLLARS (405 000$).

2. Le taux du solde de prix de vente sera de 9%, 10% et 11%
respectivement la 1ère, 2ième et 3ième année.

3. Toute différence dans la somme indiquée dans ce contrat pour la
1ère hypothèque se reflètera dans la 2ième hypothèque et non
dans le "comptant".

3. Les parties s'engagent à signer l'acte de vente le ou avant le
19 juillet 1990 devant le notaire ------------------------------

4. Les parties chargent de façon irrévocable le notaire -----------
à retenir à même le produit de la vente et à payer directement
AUDETTE & AUDETTE INC. 10 125$ et au courtier vendeur 10 125$.

2.4 AUTRES CONDITIONS Toutes les autres conditions de la PROMESSE D'ACHAT demeurent inchangées.

2.5 CONDITIONS D'ACCEPTATION Les parties déclarent que leur consentement aux présentes n'est le résultat d'aucune représentation ou condition qui n'y est pas écrite. Le CONTRE-PROPOSANT s'oblige irrévocablement par les présentes jusqu'à 22:00 , le 22 juin
19 90 . Si le RÉPONDANT l'accepte pendant ce délai, les deux parties seront juridiquement liées jusqu'à parfaite exécution des présentes. Tout refus par le RÉPONDANT aura pour effet de rendre la présente contre-proposition et la PROMESSE D'ACHAT nulle et non avenue et le dépôt devra être remis à l'ACHETEUR conformément à 4.2 de la PROMESSE D'ACHAT. Toute nouvelle promesse d'achat aura le même effet qu'un refus. Toute nouvelle contre-proposition par le RÉPONDANT aura le même effet qu'un refus.

SIGNATURES   (Tous les exemplaires doivent porter des signatures originales)

CONTRE-PROPOSANT Le CONTRE-PROPOSANT reconnaît avoir lu et compris cette contre-proposition et en avoir reçu copie.

RÉPONDANT Le RÉPONDANT reconnaît avoir lu et compris cette contre-proposition et en avoir reçu copie.

Il déclare ☐ _____ cette contre-proposition.
              ☐ y faire la contre-proposition CP- |___|___|___|___|

Signé à   MONTREAL   Signé à
le 19 juin   19 90 , à 10:00 .   le   19   , à   h

(signature: contre-proposant 1)   (signature: répondant 1)

(signature: contre-proposant 2)   (signature: répondant 2)

(signature: témoin)   (signature: témoin)

ACCUSÉ DE RÉCEPTION Le CONTRE-PROPOSANT reconnaît avoir reçu copie de la réponse du RÉPONDANT.

INTERVENTION DU CONJOINT DU VENDEUR Le soussigné déclare être le conjoint du VENDEUR, consent à la présente contre-proposition et s'engage à intervenir à l'acte de vente notarié à cet effet.

Signé à   Signé à
le   19   , à   h   le   19   , à   h

(signature: contre-proposant 1)   (signature: conjoint du vendeur 1)

(signature: contre-proposant 2)   (signature: conjoint du vendeur 2)

(signature: témoin)   (signature: témoin)

610FN (89-10) © Association de l'immeuble du Québec, 1989. Tous droits de reproduction, d'adaptation et de traduction réservés, sauf accord écrit.

CP 12345

CONTRE-PROPOSITION
Formule prescrite par
l'Association de l'immeuble du Québec
à l'usage exclusif de ses membres

1. IDENTIFICATION DES PARTIES

☒ le VENDEUR
☐ l'ACHETEUR
(ci-après appelé le CONTRE-PROPOSANT)

☐ l'ACHETEUR
☒ le VENDEUR
(ci-après appelé le RÉPONDANT)

2. MODIFICATIONS

2.1 Par la présente, le CONTRE-PROPOSANT promet ☐ de vendre au ☐ RÉPONDANT l'immeuble sis au LONGUEUIL, Québec.

(ci-après appelé l'IMMEUBLE),

aux conditions apparaissant à la promesse d'achat PA- L 1 2 3 4 5 (ci-après appelée la PROMESSE D'ACHAT), avec les modifications ci-dessous.

2.2 CONTRE-PROPOSITIONS PRÉCÉDENTES Toute contre-proposition précédente, faite par l'une ou l'autre des parties, est nulle et non-avenue.

2.3 MODIFICATIONS

1. Le prix de vente sera de QUATRE CENT DIX MILLE DOLLARS (410 000$).

2. Le taux d'intérêt sur la balance de vente sera de 9%, 10% et 11% la 1ère, 2ième et 3ième année respectivement.

3. Le solde de prix de vente sera d'environ SOIXANTE DIX-HUIT MILLE DOLLARS (78 000$).

4. La signature du contrat notarié sera le ou vers le 19 juillet 1990.

5. Les honoraires du courtier seront de QUINZE MILLE DOLLARS (15 000$) partagés 50-50, courtier vendeur et courtier inscripteur.

6. Le comptant sera de QUATRE-VINGT CINQ MILLE DOLLARS (85 000$).

2.4 AUTRES CONDITIONS Toutes les autres conditions de la PROMESSE D'ACHAT demeurent inchangées.

2.5 CONDITIONS D'ACCEPTATION Les parties déclarent que leur consentement aux présentes n'est le résultat d'aucune représentation ou condition qui n'y est pas écrite. Le CONTRE-PROPOSANT s'oblige irrévocablement par les présentes jusqu'à 22:00 , le 22 juin 19 90 . Si le RÉPONDANT l'accepte pendant ce délai, les deux parties seront juridiquement liées jusqu'à parfaite exécution des présentes. Tout refus par le RÉPONDANT aura pour effet de rendre la présente contre-proposition et la PROMESSE D'ACHAT nulle et non avenue et le dépôt devra être remis à l'ACHETEUR conformément à 4.2 de la PROMESSE D'ACHAT. Toute nouvelle promesse d'achat aura le même effet qu'un refus. Toute nouvelle contre-proposition par le RÉPONDANT aura le même effet qu'un refus.

SIGNATURES (Tous les exemplaires doivent porter des signatures originales)

CONTRE-PROPOSANT Le CONTRE-PROPOSANT reconnaît avoir lu et compris cette contre-proposition et en avoir reçu copie.

RÉPONDANT Le RÉPONDANT reconnaît avoir lu et compris cette contre-proposition et en avoir reçu copie.

Il déclare ☒ ACCEPTER cette contre-proposition.
☐ y faire la contre-proposition CP- L 1 2 3 4 5

Signé à MONTREAL
le 20 juin 19 90 . à 10:00

(signature contre-proposant 1)

(signature contre-proposant 2)

Signé à LONGUEUIL
le 20 juin 19 90 . à 21:00
M. NORMAND

(signature répondant 1)

(signature répondant 2)

(signature témoin)

ACCUSÉ DE RÉCEPTION Le CONTRE-PROPOSANT reconnaît avoir reçu copie de la réponse du RÉPONDANT.

Signé à
le 19 , à h .

(signature contre-proposant 1)

(signature contre-proposant 2)

(signature témoin)

INTERVENTION DU CONJOINT DU VENDEUR Le soussigné déclare être le conjoint du VENDEUR, consent à la présente contre-proposition et s'engage à intervenir à l'acte de vente notarié à cet effet.

Signé à
le 19 , à h .

(signature conjoint du vendeur 1)

(signature conjoint du vendeur 2)

(signature témoin)

610FN (89-10) © Association de l'immeuble du Québec, 1989. Tous droits de reproduction, d'adaptation et de traduction réservés, sauf accord écrit.

CP 12345

APPENDICE 11

LA LETTRE DE MONSIEUR NORMAND SE DÉCLARANT SATISFAIT À LA SUITE DES INSPECTIONS PRÉVUES LORS DE LA PROMESSE D'ACHAT

Outremont, le 28 juin 1990

Monsieur le Courtier
Les Immeubles avangardistes
000, rue du Sud
Ville (Québec)
A0A 0A0

> Objet : Promesse d'achat générale
> PA 00000 du 11 juin 1990 et Contre-
> proposition CP 000000 du 22 juin 1990

Monsieur le Courtier,

Comme il a été stipulé à la promesse d'achat ci-haut décrite, l'inspection de la propriété sise au 200, rue Nordet, Longueuil (Québec) a été faite à ma demande par M. X, architecte. J'ai fait personnellement l'inspection des revenus et des frais généraux. A la suite de ces inspections, je me déclare satisfait de cette propriété et des revenus et frais généraux et en conséquence, la promesse d'achat et la contre-proposition ci-haut décrites lient les parties.

Veuillez expédier au notaire désigné dans la promesse d'achat tous les documents pertinents pour la conclusion de cette opération immobilière au plus tard à la date prévue dans la contre-proposition ci-haut décrite.

Je vous remercie de votre collaboration dans cette affaire et vous prie de croire à l'assurance de mes sentiments distingués.

(Signé) Monsieur Normand, acheteur

APPENDICE 12

LES AJUSTEMENTS

AJUSTEMENTS

EN DATE DU 18 JUILLET 1990

OBJET : VENTE DE MONSIEUR X À MONSIEUR NORMAND
PROPRIÉTÉ : 200, rue Nordet, Longueuil (Québec)

	VENDEUR DOIT	ACQUÉREUR DOIT

Impôts fonciers 1990 (ou taxes municipales) : du 1er janvier 1990 au 31 décembre 1990, au montant de 6 783,45 $. Ils ont été payés en entier par le vendeur. L'acheteur doit donc les assumer à compter du 18 juillet 1990 (date de la signature de l'acte de vente) jusqu'au 31 décembre 1990, soit 167 jours :

6 783,45 $ × 167/365 = 3 103,66 $ 3 103,66 $

Taxes scolaires 1989-90 : du 1er juillet 1989 au 30 juin 1990, au montant de 449,09 $. Elles ont été acquittées en totalité par le vendeur.

Taxes scolaires 1990-91 : du 1er juillet 1990 au 30 juin 1991, au montant approximatif de 449,09 $. Elles n'ont pas été payées. Le vendeur doit donc les prendre à sa charge à compter du 1er juillet 1990 jusqu'au 17 juillet 1990, soit 17 jours :

449,09 $ X 17/365 = 20,92 $ 20,92 $

Intérêts sur le prêt de la Banque du Peuple : Ils sont dus par le vendeur, à compter du 1er juillet 1990 jusqu'au 17 juillet 1990, soit 17 jours :

78,84 X 17 jours = 1 340.28   1 340,28 $

Loyers : les loyers totalisent la somme de 4 141,00 pour le mois de juillet 1990. Le vendeur doit donc du 18 juillet 1990 au 31 juillet 1990, soit 14 jours :

4 414,00 X 14/31 = 1 870,13 $ 1 870,13 $

Loyer gratuit : Suite à une entente, le vendeur remet à l'acheteur la moitié du mois gratuit accordé au locataire de l'appartement no 7, soit la somme de 220,00 $.   220,00 $

175

Assurances : La durée du contrat est du 12 septembre 1989 au 12 septembre 1990. La prime au montant de 703,05 $ a été entièrement acquittée par le vendeur. L'acheteur doit donc les assumer à compter du 18 juillet 1990 jusqu'au 11 septembre 1990, soit 56 jours :

703,05 $ X 56/365 = 107,87 $ 107,87 $

CRÉDIT AU COMPTE DE TAXE : L'acheteur remet au vendeur le solde créditeur au compte de taxes de la Banque du Peuple, soit la somme de 15,46 $.

		15,46 $
	3 451,33 $	3 226,99 $

MOINS CE QUI EST DU PAR L'ACQUÉREUR   3 226,99 $

LE VENDEUR DOIT   224,34 $

RÉCAPITULATION

MONTANTS PAYABLES :

PRIX D'ACHAT :	410 000,00 $
MOINS ACOMPTE AVEC LA PROMESSE D'ACHAT :	3 000,00 $
	407 000,00 $
MOINS : PREMIÈRE HYPOTHÈQUE	246 923,88 $
	160 076,72 $
MOINS : SOLDE DE PRIX DE VENTE	78 000,00 $
	82 076,12 $
MOINS : AJUSTEMENTS DUS PAR LE VENDEUR	224,34 $
SOLDE DU PAR L'ACQUÉREUR	81 631,78 $

Les parties conviennent que si les autorités municipales ou scolaires émettent d'autres comptes pour taxes municipales ou scolaires pour toute partie de la période finissant à la date des ajustements (autres que ceux qui ont fait l'objet des ajustements ci-dessus) ou si les montants sur lesquels on s'est basé pour procéder aux dits ajustements se révèlent inexacts, les parties devront immédiatement sur simple demande de l'une ou de l'autre faire les ajustements de tels comptes et les acquitter en argent comptant.

De plus, comme ces ajustements ont été faits à partir de renseignements obtenus de tierces personnes, les parties dégagent le notaire de toute responsabilité pour toutes les erreurs ou omissions qui s'y seraient glissées.

Montréal, 18 juillet 1990

Vendeur (signature)

Acheteur (signature)

BIBLIOGRAPHIE SOMMAIRE

Association canadienne d'études fiscales (L')/Canadian Tax Foundation, Corporate Management Tax Conference 1989, *Creative Tax Planning For Real Estate Transactions — Beyond Tax Reform And Into The 1990s*, Toronto, 1989, 432 p.

Barr, Gary avec Judith Headington McGee, *J. K. Lasser's Real Estate Investment Guide*, J. K. Lasser Institute, New York, 1989, 330 p.

Bloch, H. I. Sonny, Lichtenstein, Grace, *Inside Real Estate, The Complete Guide to Buying and Selling your House, Co-op or Condominium*, Grove Weindnfed, New York, 1987, 377 p.

Bridges, James E. et Deborah J., *Mortgage Loans: What's Right For You?*, Second Edition, Betterway Publications, Inc., White Hall, Virginia, 1989, 141 p.

Appraisal Institute of Canada—Institut canadien des évaluateurs, *Compound Interest and Discount Factor Tables for Appraisers — The Six Functions of One Dollar,* Winnipeg, 1987, 310 p.

Fortin, Clément, *Comment réussir dans l'immobilier ou Faire de l'argent dans l'immobilier... c'est toujours possible!*, Les Editions Yvon Blais Inc., Cowansville (Québec), 1989, 204 p.

Kling, Sydney, *Comment investir et réussir votre retraite en Floride,* Les Editions Quebécor, Montréal, 1988, 356 p.

Gaines Jr., George & Coleman, David S., *Florida Real Estate Principles, Practices & Law,* 13th Edition, Real Estate Education Company, 1989, 485 p.

Lauer, Robert J. et Murray, James G., *Your Agent And You, Surviving The Canadian Real Estate Game,* Whitecap Books, Vancouver/Toronto, 1989, 141 p.

Norton, Hollis, *The New Real Estate Game, Building Wealth Under The New Tax Laws,* Contemporary Books, Chicago, New York, 1987, 233 p.

Shenkman, Martin M., *Real Estate After Tax Reform, A Guide for Investors*, John Wiley & Sons, New York 1987, 308 p.

Tanzer, Milt, *Real Estate Investments And How To Make Them*, Second Edition, Prentice-Hall Inc., Englewood Cliffs, N.J., 1988, 327 p.

Taxes sur les produits et services, *Notes explicatives du projet de loi C-62* adopté par la Chambre des communes le 10 avril 1990, Ministre des finances du Canada, Ottawa, 292 p.

INDEX ANALYTIQUE

Immeuble résidentiel à logements multiples

Immeuble résidentiel à revenus

Achevé d'imprimer sur les presses
de Imprico, division de Imprimeries Québécor Inc.
Ville Mont-Royal, Qué.